新潮文庫

若き数学者のアメリカ

藤原正彦著

新潮社版

2738

目次

若き数学者のアメリカ

1　ハワイ——私の第一歩

私は間違った旅に出たらしい。真珠湾遊覧船の日本人乗客は私一人だった……。　（前方はアリゾナ号沈没跡の記念館）

夜の天井は星屑《ほしくず》であり、下には不動の暗黒があった。この暗黒が本当に太平洋であるかどうかは見極められなかった。出発までの疲労が知らぬ間に身体《からだ》に食い入っているらしく、全身がだるかった。日本時間のままの腕時計は午前二時を指している。西から東へ飛ぶ時には時間が速く進む。しばらくまどろんでから窓の被《おお》いを開けて外に目をやると、既に東の空はうっすらと白んでいた。全天を埋め尽くしていた無数の星も幾分疎《まば》らになって、海がぼんやりとではあるが、それと分るほどになってきた。

一九七二年の夏、私は一年間の予定で、アメリカのミシガン大学に研究員として招かれていた。正式の職名は research associate といって、義務は研究だけという恵まれたポジションだった。生活費用は大学からと言うより、大学を通して N.S.F.(国家科学財団) から月額五〇〇ドルが支給されることになっていた。決して多くはないが、独り身には十分やって行けるだけの額だった。私がここに招かれたきっかけは、前年の九月に東京で行なわれた数論日米セミナーにおいて、他の数名の教授とともに招待されて来日していたミシガン大学のルイス教授の目にとまったことにあった。その会議で私の発表した "Hasse Principle in algebraic equations" (代数方程式におけるハッセ原理）なる題目の講演に強い関心を示した彼は、帰国後、私を招聘《しょうへい》できるよう尽力してくれたのである。

初めての海外行きであるし、東京からミシガンに直行するのも芸がないように思えたから、ハワイ、ロスアンジェルスなどで遊んだのち、コロラドで開かれる予定の数論サマー・インスティテュートに出席し、それからミシガンに飛ぼうと計画していた。ハワイに二日ほど滞在することにしたのは、時差に慣れるためもあったが、ハワイというやや日本的色彩のあるアメリカにまず触れることにより、本土に着いた時に予想される、ある種のショックを和らげることが出来るかも知れない、と思ったからであった。

今になって考えると、ハワイは良い思い出にはなったが、時差を二段階に分けて徐々に身体を慣らすというのは愚かな考えだったし、ショックを和らげるということは無意味であり、不可能であり、不必要でさえあった。

少しでも余計に眠っておかねば、と頭上の棚から毛布を取り出し被《かぶ》ってはみたが、やはり興奮しているのか、見送りに来た人々の顔などが思い浮かんだりして今度は思うように寝つけない。自分が、本当に、現実にアメリカへ旅しているのだと意識すると自然に身が引きしまり、目がさめてしまう。人々は毛布にくるまったまま未だ眠りから覚めていなかった。青年が一人、眠るのを諦《あきら》めたらしく文庫本を開いて読んでいる。人妻であろうか、薄紫色の和服の女性が、枕《まくら》の位置を変えては裏返し、時にはけだるそうな視線を虚空《こくう》に投げかけてはフッと息を洩《も》らす。誰が吸っているのか、煙草《たばこ》の煙がゆるゆると天井まで昇りつめては前後左右に拡散して行く。ふと、夜汽車の客室にそっくりだと思った。鈍行の夜行列車で一人旅をするのが好きだった私にとって、よく見慣れた懐《なつ》かしい風景のようだった。〝甘たるきニスの臭《にお》い〟でも加われば、朔《さく》太郎《たろう》の〝夜汽車〟そのものではないかと思ったりもした。

　しばらくの間、人々を興味深く眺めていたが、期待と不安の渦巻いていた私にとって、この風景は、あまりにもゆったりとのどかだったせいか、いつしかひどく場違いなものに思えてきた。人々の顔は、どう見ても、土産を沢山持って故郷へ帰る人とか出張に出た会社員といった様子だった。それに反し、私は、果してアメリカにある光は日本のそれと同じなのだろうか？　風は、空気は？　などと大真面目《おおまじめ》に考えていたのだ。

　陽光のまぶしさに再び目を外に向けると、主翼前方の東の空一帯が既に赤く色づいており、朝陽が水平線から頭をもたげ始めていた。眼下の海は暗黒から濃紺《のうこん》へ、そしてさらに淡青へと素早く変化しつつあった。一つ一つの波が幾重にも果てしなく長い刻みを海面に描いている。

夜が水平線を境に真二つに割れ、空と海が誕生した。そしてその海は紛れもない太平洋なのだ。太平洋は私にとって他の海とは全く異なるものだった。そこには、魂を揺さぶると言おうか、とにかく私を冷静にしてはおかない何かがあった。突然に、しかも異常なほど静かに輝き出した海面を見つめながら、ふと、これは日本の海ではないと思った。今までに見たことのある日本の海とは明らかに異なった輝きを放っていた。自分は日本を出て何処かに来てしまった、と、この時初めて感じた。とたんに、独りであることを意識し始めた。外には出すまいと極力抑えてきたのだが、やはり見知らぬ外国の地に旅立つのは内心、不安と心細さで一杯だったのだ。

アメリカ人とは一体どんな人種なのだろうか。自分の英語は通ずるだろうか。買物などの簡単な日常会話は別にしても、果して心を通わすことが出来るであろうか。夢にまで見た国は単に〝文明化された野蛮国〟にすぎないのかも知れない。そんな所で何を得ることが出来ると言うのだろうか。逆に何もかも失って帰るようなことになるかも知れない。いや問題は数学だけではないか、心など通わなくともよい。数学の世界で意思が通じればそれでよいのだ。それだけが初めからの目標ではないか。しかし、一年間もの間を数学だけで生き抜くことが出来るだろうか。私にそれほどの鋼鉄の意志はないかも知れない。私は自問自答を続けていた。何はともあれ、数学で奮闘するしか他にない。アメリカで生きる道は他にない。心細さは徐々に弱まり、次第に悲壮感のようなものが胸の内に広がって行った。

昇りきった朝陽に海は豊かに青く、波頭が随所に白くきらめいていた。その白いきらめきが、私に太平洋の荒々しい鼓動を伝えてくれた。と、突然私は、先ほどまで自分を支配していた不安感が一掃され、きわめて不思議な感情に襲われているのに気づいた。〝見よ東海の空明けて旭日《きよくじつ》高く輝けば……〟で始まる愛国行進曲を口ずさんでいたのだ。それは、戦時中海軍にいたことのある叔父が、酒に酔った時に必ず高吟したものだった。私はいつしか、眼下の海で死闘をくり広げた日本海軍の将兵に思いを馳《は》せていた。この美しい輝きの海で、自分と同じ若者がアメリカを相手に闘い、散って行った。同じ太平洋を、私が今、越えて行く。そんな思いに捉《とら》えられていた。そして、その瞬間、アメリカに行って静かに学問をしてくるというそれまでの穏健な考えに代わって、なぐり込みをかける、とでも言うような荒っぽい考えが心の底に擡頭《たいとう》して来るのを感じた。ミシガンの数学者に日本人の凄《すご》さを見せてやろう、などと気張ったりもした。このような感情の変化は日本を出発する前には予想もしなかったものだった。

なぜ、あの朝陽に輝く波頭を見たほんの一瞬に、日本というものをそれほど強烈に意識したのだろうか。以前から潜在的にそんな性質を持っていたのが、太平洋の持つ魔性とでも言うようなものに呼び覚まされたのかも知れないし、あるいは、右も左も分らぬアメリカに、単身で乗り込むという一種の悲壮感が少しその姿を変えて現われただけなのかも知れない。そしてこの自意識は、心の奥に、しかも思ったより深い部分にまで浸透し、その後、一年間ほど、そこに居坐《いすわ》り続けた。

陽がまたたく間に昇りつめた頃、眼下にハワイと思われる島々がその姿を見せ始めた。青い海原に小さく浮かぶ幾つかの赤茶けた島々は、その海岸線を、くだけた波の白さで縁どられていて実に鮮やかだ。写真で見たことのあるダイアモンドヘッドも手に取るように一望の下だ。ゆるやかな弧を描きながら降下したJAL七二便ジャンボ機は、ホノルル国際空港に滑るように着陸した。白い作業服を着た何人かの整備員が一かたまりになって荷下ろしを待っているのが窓から見える。それを見ながら私は、彼らがアメリカ人であるという単純な事実にある種の驚きを抱いた。私がそれまでに実際に見たアメリカ人というのは観光客、軍人、および少数の数学者くらいに限られていた。彼らは皆、裕福できれいな服装をした人々であった。今見る紛れもないアメリカ人は、当り前ではあるけれど、油や泥などのしみついた作業衣で、到着した飛行機の整備をしたり、荷物の積み下ろしなどをしている。どの顔も浅黒く陽に焼けていて、その表情や身のこなしは、日本の飛行場で見る作業員と何の違いもない。何かが違うぞ、私はかすかに予感した。

税関の列は長かったが私の場合は実に簡単に済んだ。ほとんどの人がスーツケースなどを開かれ念入りに調べられていたのに、私のものだけは全く手も触れられなかった。スーツケースに貼《は》り付けておいた日の丸と、ミシガン大学数学教室、藤原正彦、と英語で書かれた名札を見た税関吏が、どうした風の吹き回しか、

「日本からミシガン大学にいらっしゃるお医者さんですか」

と聞くので、説明も面倒だからうなずいたら、それでもうおしまいだった。あまりにあっけないので少々心配になり、出口に立っていた航空会社の制服姿の日系らしい娘さんに、素早く頭の中で英作文をしてから、

「そこでは全然開けなかったんですが、もう全部済んだのですか」

と、恐る恐る聞いてみた。すると、

「はい、そうです。あなたは正直そうな顔をしているので開けなかったのでしょう」

と言って、ニコッとした。税関が簡単に済んだことも嬉《うれ》しかったが、それより、現地での初めての英語がスムーズに通じたので妙に気強く感じた。本当は、ついでに、予約してあったモアナ・ホテルへの行き方も聞くつもりだったのだが、正直などと言われてはくすぐったくて、それ以上聞くことはとても出来なかった。歩き出すと誰かが、

「ワイキキへ行くならこのリムジンでどうぞ」

と大声で言っている。その運転手らしき男に、モアナ・ホテルへも立ち寄ることを確かめようと何か言いかけたら、まだ言い終らぬうちに、私のスーツケースをいとも無造作に、ほとんど乱暴とも言えるように車の最後部に放り込んだ。

昼過ぎにホテルの部屋に落ち着いた。三時間余りの睡眠をとってから、何かハワイらしいものでも食べてみようと外の大通りに出た。夕方近くになっていたせいか、海水浴を終えて水着のまま家路につく人々で通りはかなり混雑していた。洋服を着たまま水着の人々に囲まれて歩くのはこの時が初めてだったが、間の抜けたような、恥ずかしいような何とも妙な気分だった。単調な機内食に飽きていたから、何か少しはマ

シなものをと考えていた。しかし目抜き通りにある、レストランと名のつく所はいかにも豪勢で、ネクタイなしで入るには気遅れがしたし、たとえ入れてもメニューが皆目わからないだろうと思ったので、初めから問題にしなかった。

そもそも、料理の名前というのは、それが高級であればあるほど、やたらにフランス語などを用いて難解で、たとえ片仮名で書いてあっても、どんな料理かは私にはまず分らない。しかも、そういう高級レストランには、たいていの場合ウェイトレスは居ず、黒のスーツをすきなく着こんだウェイターが、いかにも、もったいぶって料理を運んできたりする。後日一度、そんなレストランで、一五ドルの大枚をはたいて、鴨《かも》のオレンジソース煮（duck à l'orange）なるものを食べたことがあるが、日本でなら一ドルで食えるラーメン、ギョーザに敵《かな》うとは思えなかった。

高級料理店のスノビズムはさておき、どこか、うまそうで、かつ気安く入れそうな所があればと、長さ二キロもある通りを往復したのだが、結局は何のこともない、ホテルから五〇メートルも離れていない角のスナックに落ち着いた。

スナックと言っても日本の大きなレストランほどはある。中央のカウンターに坐ると、メニューにある料理の中で、ただ一つ何物であるかが分ったハンバーガーと、デザート欄から果物盛合わせを選んで注文した。ハンバーガーとごく日本式の発音をしたら通じなかったので、ハにアクセントを置いて思い切りキザに発音してみたら、たちどころに通じた。ハンバーガーは日本のハンバーグとはまるで異なるものだったが、果物盛合わせの方は予想通り果物が盆に盛り合わせてあった。バナナ、パパイヤ、メロン、パイナップルなどに舌つづみをうちながらつついていると、隣の席に坐ってきた年の頃五十くらいの、頭髪を色もあろうに薄紫に染めた婦人が私に笑いかけながら何か言ったようだった。不意をつかれて全く理解できなかったが、とにかく、おかしいことを言ったらしいので、いかにもおかしそうに笑い返しておいた。すぐ後で、日本人はこれだからいけない。分らない時は分るまで何度でも聞き直すべきで、それでもダメだったら、その旨《むね》をはっきり言うべきである、と反省した。

しかし、それも常に最得策とは言えないらしい。と言うのは、その一週間後、数論サマー・インスティテュートでのバス遠足で、バークレイから来ていた著名なオッグ教授とたまたま相席になった。初めに彼が何か言ったのだが分らなかったので、繰り返し聞き直した後、傲然《ごうぜん》と胸を張り、お前の言うことは全然分らん、と言ったところ、英語がまるでダメと思われたらしく、それ以後、一言もしゃべりかけて来ず、前から彼に聞こうと思っていた楕円《だえん》曲線の話を切り出すことも出来なかった。相手の言うことが分らない時に、卑屈になるか、傲然と振るまうか、それともその中庸を選ぶかは、その後も時々私を悩ませた。

しかしそのうちに、英語のリズムおよび英語的発想に慣れるに従って、聞き取れなかった単語とか知らない熟語の意味などは、いちいち聞き返さなくとも前後の文脈からかなり正確に推測できるようになったので、この問題は自然解消してしまった。また、ジョークを言う時には、彼らは笑いながら早口にしゃべるので、はっきりしなかったり、文末が聞こえなかったりしてなぜおかしいのか分りにくい。しかしこれも、慣れてくると、初めの主要部分を聞いただけで後に続いてくる言葉を想像できるようになり、たとえ隅々まで聞きとれなくてもジョークのおかしさは分るようになるものだ。これは英語に限らず、日本語のジョークでも同様であろう。このような想像力が、外国語理解のためには必要不可欠なものと私には思われる。母国語に関しては、誰でもが無意識のうちにこの想像力を絶え間なく、しかもきわめて正確に働かせているのである。これなくしては、文章を速く読むことは不可能だし、流れるような会話を楽しむことも出来ないのである。

スナックから帰り、そのままベッドに大の字になってどれくらい眠ったであろうか。枕《まくら》ふと目が覚めて、カーテンの隙間《すきま》から外をかいま見ると、まだあたりは暗かった。

元《もと》の小テーブルにはずして置いた腕時計を見ると午前三時だ。時差の関係でこんな時刻に目が覚めたらしい。自動車の走る音が時々耳にはいる。どんな人間が今頃通りを往来しているのだろう。いろいろ考えていたらすっかり頭が冴《さ》えてしまい、もう一度眠り直そうと努力したがどうしても駄目だった。ベッドから起き出して通りを歩いてみることにした。この時間では、何も面白いことは期待できないであろうが、聖書しかない部屋に一人で居るよりはまだ、ましだと思ったからである。

念の為《ため》、フロントでその時間に通りを散歩することの安全を確かめると、

「この暗いのに散歩ですか？」

と言って、私をけげんそうに見つめた。そして一息おいてから、

「はい、大通りなら大丈夫ですが」

と、口をポカンと開いたまま言った。午前四時に朝の散歩をする客は珍しいらしい。

通りは、昼間や夕方の喧騒《けんそう》からは想像できないほど静かだったが、予想に反して、人がちらほら歩いていた。若者の姿はほとんどなく、大半は中年または老年の、どこか無気力でうらぶれた感じのする人たちであった。そして潮風に吹かれながら遊歩道を、例外なくゆっくりと歩いていたり、あるいはベンチに坐って化石のようにじっと

していたりした。と言っても、日本の大都市で見られるような浮浪者、アル中の類《たぐ》いではなく、ただ、時の流れに身をゆだねて生きている、といったような、午前四時に見たという状況を差し引いて考えても、どこか不気味な雰囲気《ふんいき》を漂わせていた。

私は普段、かなりの速度で歩く癖がある。しかしこの時は、そうすることが、何か、夜の静かな流れをかき乱してしまうように思えていつの間にか彼らと同じくゆっくりと、柔らかな風に吹かれながら歩いていた。

と、通りをかなりのスピードで走って来た車が、傍で突然、速度を落した。そして運転していた男が私の顔をのぞき込んだと思うと、一〇メートルほど前方でタイヤをきしませながら急停止した。時間が時間だったから、何事かと、さすがに身を堅くした。

視線が合ったから〝眼《がん》をつけた〟とか言って文句をつけるのだろうか。なぐられるのだろうか、ことによったら、生命の危険さえあるかも知れない。と、その男は私の顔を数秒間ほど凝視してから、車に乗るか、と右手で合図した。あごひげを伸ばした男の顔色は街路灯のせいか青白かった。人相はそれほど悪くはない。凶悪犯人といった顔つきではない。少しはホッとしたが、夜明け前の見知らぬ土地で、見知らぬ人の車に乗り込んでドライヴするほどの胆は持ち合わせていなかったし、ホテルへは歩いて十分ほどの所だったから、慌《あわ》てて首を左右に何度も振った。車はそのまま、停止した時と同じような唐突さで急発進をして走り去ってしまった。胸の動悸《どうき》を感じながら、あれは旅行者の金を狙《ねら》う狼《おおかみ》なのだろうか。それとも噂《うわさ》に聞くホモがボーイハントでもしていたのかも知れない、いや、全くの善意から止まってくれた可能性だってある。それならもっと丁重に断わるべきだった、などといろいろのことを考えた。

なかなか収まらなかった胸の高鳴りが、やっと鎮《しず》まると、今度は腹が減ってきた。少し早いが朝食をとろうと、付近で一軒だけ開いていた二十四時間営業のスナックにはいってみた。中はがらんとしていて、半数ほどの電灯が消されてあるのか、ほの暗い室内には全部で六、七人の客がコーヒーをすすっていた。よれよれの背広を着こんだ二人の中年男が、表情を少しも動かさずに小声でポツリポツリと会話していた他は、どのテーブルも一人で、私がはいって行っても誰一人としてこちらに目を向けようとはしなかった。どの人も自分のうちに、他の人々とは全く異質な何かを湛《たた》えてじっとしているように見えたが、〝疲れて淋しそうな〟という点で共通しているようでもあった。カウンターの向うで働いていたアルバイトらしき高校生を見つけた時は、なぜかホッとした。この異様な雰囲気の中で、唯一《ゆいいつ》の正常人間のように見えたからだ。

例によって壁に掲示されたメニューは分らなかったが、聞いてみるのも面倒なので、またハンバーガーをコーヒーと共に頼んだ。実際、後になって分ったことだが、ハンバーガーとかチーズバーガーとか、メニューにはいろいろあっても、せいぜいラーメンとチャーシューメンくらいの違いしかない。散らばって坐《すわ》っていた彼らから、なるべく目立たぬよう、それほど遠くもなく近くもない場所に席を見つけて腰を下ろすと、巨大なハンバーガーに勢いよくかじりついた。そうでもしないと、こんな雰囲気の中では食べ始めることも出来そうになかったからだ。口一杯にほおばりながら、それとなく回りの人々を観察した。一人一人が独特のムードを持っている。窓際《まどぎわ》の席に哲学者のような風貌《ふうぼう》の老人が通りを身動きもせずじっと睨《にら》んでいると、のに目が止まった。かなり着古した感じの灰色のセーターを無造作に着ている。コーヒーをテーブルの上に置いてはいるが、そんなものはまるで眼中にないかのように、射るような眼差《まなざ》しを暗く人通りのない歩道の一点に据えて、何かを瞑想《めいそう》している。この白髪の人品卑《いや》しからぬ老人が、いかなる人間であり、何の理由でその時間にそこに坐っているのか私はすこぶる好奇心をそそられた。しかし、人を寄せつけぬような威厳が彼の周囲には漂っていて、とても話しかけることは出来なかった。

この一風変わった老人を見ているうちに、不思議な思いにとらわれた。このスナックにいるお互いに何の関係もない人々が、実は、私にはよく見えない微《かす》かな、しかし強い糸で結ばれているような気がしたのだ。その思いは人々を見回すたびに強くなっていった。異質なもの同士を結ぶこの糸はいったい何だろうか。湯のようなアメリカンコーヒーを紙コップで飲みながら、そんなことを考えていた。

その日の午前はバス観光を予定していたのだが、ありきたりのコースが物足りなく思えたので、真珠湾へ行くことにした。ホテルの予約デスクに行くと、ちょうど運よく遊覧船による真珠湾一周の当日券が残っていて、早速それを買い求めた。ホテル前を出発したバスは三十分ほど走って我々を波止場に降ろした。そこには既に幾台かのバスが着いており、その後に到着したバスを含めてすべての乗客が一隻《せき》の、一〇〇トンあまりもある大きな遊覧船に乗せられた。アメリカ本土から来たと思われる老人夫婦や家族連れがその大部分であった。デッキに出てみると潮風が実に心地良い。波も、これが太平洋かと思われるほど穏やかだったから、のどかで快適な一日の遊覧が予想された。

波止場を出た船は、まず外洋に向かって一直線に数百メートルほど進み、そこで進路を直角に変えオアフ島岸沿いに走り出した。真珠湾はホノルルの西数マイルの所にある。速度が増すと風は少し強くなったが、空は雲一つない青空で、午前中のせいか、まだそれほど強くない陽射《ひざ》しが顔や腕にさわやかだった。ヨットの白い帆が遠くに幾つか浮かんでいる。何と平和な海なのだろう。私は舷側《げんそく》にもたれかかったままほとんどまどろみそうだった。

すると、スピーカーが突然、

「右に見えますのがヒッカム飛行場所属の将兵宿舎であります。この宿舎は一九四一年十二月七日早朝、敵の急降下爆撃機に襲われ、ここだけで多くの犠牲者が……」

とやり始めた。

この敵という単語が日本を指し示していることを知るには、ぼんやりしていた私の頭でさえ、ものの一秒とかからなかった。敵軍、敵戦闘機、敵潜水艦などとひっきりなしに出てくるのだ。周囲を見わたすと、私がこの船に乗っている唯一の東洋人、従って日本人であることに初めて気づいた。数百人もの船客全員が私を憎悪《ぞうお》の目で見ているような気さえする。自分は間違った船旅に出てしまったらしい。いくら好奇心が強かったとは言え、こともあろうに、日本軍の一方的攻撃により殺戮《さつりく》破壊された真珠湾をわざわざ訪れるというのは、あまりにもアメリカ人の感情に無神経な、軽率な行動ではなかったか。船客の中には自分の肉親をここで失った者もいるかも知れない。

こんなことを考え始めると、先刻までの快適な気分はいっぺんに消え失せ、滅入《めい》ってしまった。立っていて目立つのも彼らを挑発し、ひいては自らを危険におとしいれることにさえなりかねないと考え、そばのベンチにあたふたと腰を下ろした。

スピードを落した船は岸に沿っていよいよ真珠湾奥深くはいって行った。湾は次第に入り組んで狭まり、両岸には緑の湿生植物が一面に生い茂っていた。ほとんど波のない静かな湾の中央部には小島があって、どこか、湖のようでもある。私はじっと身を堅くしていた。スピーカーは相変わらず、ここが戦艦オクラホマ、ここがペンシルバニアなどと撃沈地点を断続的に紹介している。ところが、この頃になってどうしたことか、今までの滅入った申し訳ないといった感情が私の心からすっかり消えてしまっていた。あまりに次から次へと日本軍の蛮行を聞かされているうちに、自分が乗客全員から責められているような気分になり、何を、と反発したらしい。一方的に何かを言われると、内容が何であろうと、反発するのが私の習性なのだ。もし、スピーカーが、日本軍の攻撃がいかに正当であり、勇敢でかつ美しいものであったかを繰り返し説明したら、やはりそれに反発したであろう。

私は間違いなく、しかも過剰に居直っていた。真珠湾においては確かに日本が一方的に悪かったかも知れぬが、それなら広島、長崎はどうしてくれる。東京大空襲はどうだ。市民に対する無差別大量殺戮そのものではないか。死者数から言っても真珠湾など比較にならぬ。祖父の弟は広島で郵便局長をしていたが、爆心地に近かったため、二日後に駆けつけた祖父も遺体を識別できなかったと聞いたし、恩師のK教授は一家全員を東京大空襲で一瞬に失った。我々は、このことでアメリカを非難したことがあっただろうか。

不意打ちが許せないというのは意味をなさぬ。戦争はすべて不意打ちだ。何月何日何時何分に、どこの地点をどれだけの兵力でいかに攻撃するかを予告して攻撃する国がどこにあろう。我々日本人は、敗戦国として黙らされてしまった。〝戦争を憎み、敵を憎まず〟なる言葉にも現われているように、すべては戦争中のこととして、悪夢の中のこととして、敵国アメリカを責めないできた。それに反して……。こう考えたら、もともと単純で直情型の私は、何か、自分が太平洋戦争で死んだ五百万の日本人に取って代わったかのような大それた気分になって、

「絶対に謝るもんか、絶対に謝らないぞ」

と心の中で叫んでいた。ちょうどその時、スピーカーが、

「幸運にも（fortunately）、あの石油タンクは爆撃をまぬがれた」

と言ったので、小声で、

「unfortunately」

と言い直してやった。

気が付くと、いつの間にか、私は再びデッキの、しかも最も人目につきやすい場所に立っていた。そして毅然《きぜん》と胸を張り、数百人の船客を思い切り恐《こわ》い目で睨みつけていた。そして、浅瀬に沈んだまま未《いま》だに引き揚げられていない戦艦アリゾナの甲板を見た時などは、その上に立って万歳を叫びたいような気持にさえなった。こうなると、大空を埋めつくした日本海軍の艦上爆撃機が向うの丘陵に沿って、超低空飛行で果敢に突っ込むところを想像しては、〝美しい、途方もなく美しい〟ともう感激に涙を落さんばかりであった。

後で考えてみると、そんな感情は確かに単純かつ幼稚であり、それ以上に危険なものであるが、ある種の日本人は、初めて外国に出ると、とかくこういった傾向に陥りやすいらしい。むやみに日本が素晴らしく、偉大で美しく見え、気違いじみた心情的国粋主義に、一時的にとりつかれてしまうのだ。三島由紀夫は、ドイツのハンブルク港で、船のマストにかかる日の丸を見た時、突然涙が流れ落ちてどうしようもなかった、とどこかに書いていた。私もこの急性愛国病にかかってしまったようだった。

どうしてその病に、その時突然とりつかれたのか今もって明確ではないが、一つには、見知らぬ土地で不安につぶされそうな自分を支えてくれる強力な何かを、無意識に探し求めていたのかも知れない。あるいは、アメリカに対する根強い劣等感のようなものを棄《す》て切れない〝敗戦を知っている人々〟の目に余る卑屈さ、それに腹を立てていたのが、反動の形をとって妙な所で妙な時に爆発したのかも知れない。それともただ単に、行く先で待ちかまえていた強いホームシックの前兆にすぎないものだったのだろうか。

結局、この珍しい病は、容易には私から離れ去ってくれず、長い間にわたり、しばしば頭をもたげだしては私を当惑させることになった。そして、この病にとりつかれていた期間はちょうど、アメリカにおいて私が疎外感《そがいかん》に悩まされていた期間と一致していたようである。

その日の夕方はとりわけ夕陽が美しかった。西の海に大きな紅《あか》い太陽がゆっくり沈むと、待っていたかのごとく、全天が鮮やかな夕焼けに変わった。遠くから、誰が演奏しているのだろうか、ハワイアンの調べが風に乗って聞こえてくる。故郷の信州での夕焼けは空一面がピンクに色づいたものだが、ここワイキキではオレンジ色だ。海辺に沿って並ぶシュロの樹々《きぎ》がその長い影を白砂に落している。この壮大さ、華麗さはこの世のものではない、と私はもう夢心地だった。なぜそのような美しい景色がそこに存在し、なぜ、私がその中に居るのか、というようなことを砂浜に坐ったまま、しきりに考えていた。

黄昏《たそがれ》の中、大自然の一部に融《と》けてしまったような気分で、茫然《ぼうぜん》としていた。そよ風がときどき潮の香を運んでくれる。と、すぐ傍《そば》を、昼間の浜辺で言葉を交したゴムサンダルの少年が歩いて来た。

「今晩は。何ときれいなんだろう」

そう言って夕焼けを指さすと、少年は私を覚えていて、

「今晩は。ほんとに」

とにこにこしながら私の隣に坐った。

この十一歳の少年は、カリフォルニアのサンディエゴから家族と共に休暇で来ていた。紺のバミューダショーツに白のTシャツという格好だった。長く滞在しているらしく、見事な褐色《かっしょく》の肌だ。

「ねえ、僕はどこから来たと思うかい」

「わからない、東洋のどこかでしょ。うーん、中国かな」

少年はそう言って、いささか困惑の表情で私の顔をのぞきこんだ。

「違う違う。もう一息。ほら、東洋で一番美しい、あの国だよ」

とやや大げさなことを言うと、間違えたら私に対して失礼になると子供ながらに思ったのか、困ったように、

「わからないなあ。どこか教えてよ」

と、答えをせがんだ。

「日本、日本からさ。この太平洋をあの夕陽に向かってどこまでも真直《まっす》ぐに行くと、日本にたどり着くんだ」

少年はニコッとして私を見上げた。二人で半時間も坐《すわ》っていただろうか。辺りは既にとっぷり暮れていた。少年は、これから家族と夕食に行くから、と言って立ち上がると足早に立ち去った。

潮風に吹かれながら私は、人気《ひとけ》のない浜辺に坐ったまま消え行く空の明るみを惜しんでいた。単調な波の繰り返しが、いつしか私を日本の海へと誘っていった。オゾンみなぎる早春の浜、足下に見つけた小さなタンポポ、誰もいない冬の渚《なぎさ》、時には流木を浮かせ、時にはどこかから貝殻を運んだ海。そのどれもが、太平洋だった。

「遠くまで来てしまった。確かに遠くまで」

私は声にならないつぶやきを何度も繰り返していた。いつの間にともされたか、海

岸に沿って並べられたタイマツが赤々と燃えさかっていた。

翌日、ロスアンジェルスに飛ぶべく空港に着くと、今度は荷物を開けて中身を丹念に調べられた。飛行機が絶海の孤島に不時着することだって考えられるしと、万が一を考えて前日買っておいたバナナをショルダーバッグに三本入れておいたのだが、航空会社の女性係官がダメだと言う。女性係官というとものものしいが、実際は、まだあどけなさの残っているハイティーンの娘さんだ。

バナナを含む少量の食物を入れておいた理由を述べ、なぜ、バナナだけが不許可なのかをたずねると、果物類はすべてダメであり、それは、果物特有の病気や害虫の伝《でん》播《ぱ》を予防するためであると説明してくれた。ハワイ、カリフォルニアなどの州は果物がその主要産物なので、こういったことにはきわめて神経質だ。果物を所持していても、罪に問われるとか罰金を科せられるというわけではなく、それを処理することを要求されるだけだが。

「それではこの三本をここで捨てろ、と言うのですか」

と、やや憤慨気味に問うと、

「はい、捨てるか、食べてしまってください」

と事もなげに言う。食べろと言われても朝食をすませてからまだ間がない。開かれたバッグの中をヒョイと見ると、バナナはやけに大きく見えて、食べるファイトを即座に失ってしまった。しかし、そうかと言って捨てるのは明らかに罪悪だ。彼女は無言のまま、決断を催促するような目で私を見つめている。どうにも弱り果てて、

「よかったらあなたも一ついかがですか」

と言って、バナナをさし出すと、よく陽に焼けた顔に初めて白い歯を見せて、

「ありがとう。でもお腹《なか》一杯ですので」

と言った。笑うと、誰でもそうだが、なかなか可愛《かわい》い。これ以上この娘さんに迷惑はかけられない。こうなったら残された道はただ一つ、日本男児の面目にかけても、可愛い娘の前でもあるし、一気に食いまくるのみ、と思ったから、やおら一本を取り出し、皮をむくが早いか、あっという間にペロリと平らげた。まだ口一杯にもぐもぐさせながら、二本目に取りかかろうと手を伸ばすと、吹き出しそうなのを必死でこらえているのか、それとも当惑したのか、顔を赤らめて、

「もしよろしかったら、どうぞそちらでごゆっくりお食べください」

と、一〇メートルほど離れた所にある椅子《いす》を指さした。まだ朝食の残っていた腹に大型バナナ三本は少なからず窮屈だったが、やっとの思いで収めた。おかげで、ハワ

イでの原地バナナの味がどうであったかは、とんと覚えていない。

胃袋を突っ張らせ、まだ目を白黒させていた私を乗せて、パンナムのボーイング七四七は勇躍、一路アメリカ本土を目差し飛び立った。

2　ラスヴェガス　I can't believe it.

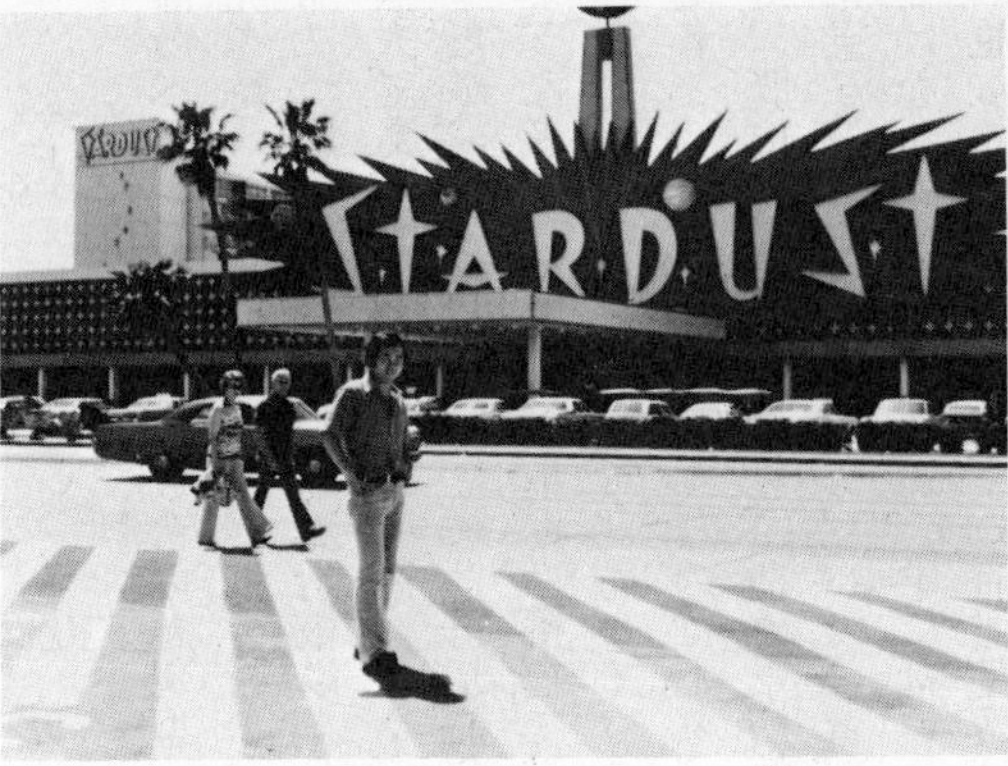

「アメリカ対私」という奇妙な対抗意識が頭をもたげ始めていた。
（カシノの前で）

グレイハウンドバスのロスアンジェルス発着所へ行ってみると、数台の超新型、超大型バスが一斉にエンジンをふかしながら出発を待っていた。ラスヴェガス行のバスの横に、順序良く並んでいた人々の列の最後部につき、見回すと、中流階級以上の白人といった人はほとんど見当らず、約半数が黒人であり、他にメキシコ系、インディアン系なども いた。私の目にはやや異様に映ったが、少し考えるとそれは当り前のことだった。歓楽地ラスヴェガスに遊びに行くような者は、当然ある程度は裕福であり、大概は飛行機で飛ぶか、冷房完備の自家用車で乗りつけることになる。従ってバスの乗客の大部分は、ラスヴェガスで働く下級労働者といった類《たぐ》いの人々なのであろう。

しばらく待っていると、運転手がやって来て、既に各人が買い求めてあった切符を受け取り始めた。切符と荷物を渡すと、車内に乗り込めることになる。バスの背が高く、従って窓も高かったせいか、外からはのぞけなかったのであるが、中にはいってみて少々驚いた。私は待ち行列のかなり後方に並んでいたのに、バスの前部座席はまだほとんど空いていたのだ。それに反して、後部座席は既にほぼ満席だった。しかも、そこに坐《すわ》っている全員が黒人であった。長距離バスゆえ、後部にはトイレがあるし、明るい前部の方が、どう考えても座席としては数段上と思われた。白人はと見ると、これまた、当り前という顔をして中頃から前の方に坐っている。規則は何もないのだが、自然にそうなっているのだ。市民権法案の成立以来、表向きには、人種差別はなくなっていたはずなのだが、それがこういう形で残っていることに目を見張った。我に返ると、さて自分はどこに坐っていいものか躊躇《ちゅうちょ》してしまった。色の濃淡からいくと、白人と黒人の中間あたりに坐るべきなのかな、と思ったりもしたが、深く考えている暇はない。気が付くと、入口のすぐ上にある一番前の特等席にちゃっかりと腰をすえていた。白人ごときになめられてたまるか、という感情がそうさせたらしかった。続いて乗ってきたメキシコ系、インディアン系などが、安心したのだろうか、私の後に次々に坐っていった。最後に若い白人の男が乗ってきて、私の隣に何も言わずに腰を下ろした。

今考えてみると、その頃の私は、人種過敏性であったようだ。乗物の中でも、通りでも、どこにいても常に、その場における人種の分布やら人種間の差異に、異常とも言えるほどの興味を持っていたような気がする。そして、そんな興味の湧《わ》いた直後には、決まって自分が黄色いということを意識させられた。この自意識は、時と共に薄れていったが、最後まで消滅はしなかった。また、それの作り出す心理状態は、しばしば複雑微妙なものであったが、その質は、やはり時と共に大きく変わって行ったようだ。例えば初めの頃は、それは何かある種の興奮状態をかもし出したものだが、後になると、単に色違いのクレヨンをながめるような淡々とした感情しかもたらさなかった。

私の席は実際、最高の場所だった。きれいに磨かれた広いフロントグラスからは、ほぼ一八〇度に近い視界が得られた。バスは、市内の片側八車線もあるフリーウェイをかなりの速度で走った後、徐々に不毛の荒野とも言うべき大平原にはいって行った。運転席の計器盤を見ると、時速は七五マイル（約一二〇キロ）を示している。バスは遅いもの、と相場が決まっていたはずだが、このバスは、自家用車をスイスイと追い越して行く。見わたす限りの半砂漠には、水気のない植物が所々にまだらに生えている他は、生物はどこにも見えない。左右には、西部劇映画で何度か見た覚えのある赤茶色の砦《とりで》のような岩山が散在している。今にも、その砦に待ち伏せ中のインディアンが、砂塵《さじん》と共に駆け下り、幌馬車《ほろばしゃ》を一斉襲撃しそうな感じさえする。道路はやや狭くなったが、それでも東名高速道の倍近くの幅はある。中央分離帯も平均して五〇メートルほどの幅があり、ところによっては数百メートルにもなる。道は、多少の起伏はあるが真直《まっす》ぐだ。真直ぐな道路というのは普通退屈なものだが、これだけ徹底的に真直ぐだとなぜか心地良い。こんな砂漠をさえ、かくも素晴らしい道路が貫いているのであるから、都市周辺ではよほどのものだろうと思い、あくびを連発していた隣の男に、

「こんなすごい道路がアメリカにはどのぐらいあるのですか」

と聞くと、

「Many, many, everywhere.」

と得意そうに答えた。

これをきっかけに男と話が始まった。彼はルイジアナ州のある町の警官であって、妻子をそこに残したまま、現在は陸軍に入隊中で、カリフォルニアで訓練を受けているとのことだった。ラスヴェガスに何をしに行くのかと問うと、何も答えずにいたずらそうにウィンクをしてみせた。警官と聞いて、ふと、今までに人を射殺したことがあるかを尋ねたら、それはないが、電気椅子《いす》による死刑執行を見たことがあると言って、その一部始終を微に入り細にわたりジェスチャーまじりに説明してくれた。その町では、黒人の人口は十数パーセントにすぎないのに、犯罪者の八〇パーセント以上は彼らであると言っていた。私にどこへ何をしに行くのかと聞くので、ミシガン大学に数学を勉強しに行く途中だと答えると、何を思ったか、あそこはフットボールが強くて良い学校だから頑張ってこいと言った。

いつまでも続く直線道路の心地良さに少しうとうとしたが、すぐ後の席にいたメキシコ人らしき母親の二歳くらいになる男の子が、長旅に疲れたのか火のついたように泣き出したので、目がさめてしまった。いつまでたっても泣き止《や》まないので、何事かと振り返ると、母親が、いかにも困り果てた風に抱いた子供を見つめている。長いこと激しく泣き続けられたので、私の頭はあたかもキリをさしこまれてもまれているかのごとく痛み出した。運転手も神経に障《さわ》ったらしく、何度も振り返っては様子を見るのだが、砂漠の真中ではどうすることもできない。ここで降ろされでもしたら、早いところ他の車にでも拾われない限り、誰でも死んでしまうだろう。日蔭《ひかげ》の気温でさえここでは四五度以上の酷熱であるし、そのうえそんな日蔭もなければ水もないのだから。十分間ほど、サイレンのように泣き続けただろうか、ついに、疲れてくれたらしく、子供は眠ってしまった。日本の子供が、これほど激しくかつ長時間泣き続けるのを見たことはなかったが、人種が違うとこんなところも少しは違うらしい。

ほっとして横を見ると、隣の男はボストンバッグから取り出した雑誌をめくっていた。好奇心からちらちら見ていると、所々にヌード写真などがある。興味を覚えたので、念の為《ため》、何という雑誌かと問うと、

「プレイボーイさ。割合に面白いよ」

と言った。私が、

「日本では、そういったヌード写真の一部分には、たいてい特殊インクが塗られていて、そのインクをどうやって除去するかが、男たちの間での大問題なのだ。苦心の末その方法を発見した天才が現われたのだが、当局がすぐにインクの成分を変えてしまった」

と言ったら、いかにもおかしそうに大笑いした。そして、

「こんなものを一つ一つ塗りつぶすのでは、大変な時間と人手がかかるだろうに」

とアメリカ人らしいことを言いながら折込みのヌードを広げて見せた。そういった種類の写真を見るのは初めてではなかったが、なぜか、黙って凝視するのが極り悪かったので、素頓狂《すっとんきょう》な声で、

「やあ、すごい、すごい！　あー興奮する」

とおどけてみせたら男は声を立てて笑った。

「お前さんは全然興奮しないのかい」

と聞いたら、

「全然ダネ。好きだけど。もうこんなものには慣れちゃったからね」

と言ってまた笑った。

辺りはもはや、半砂漠ではなく本当の砂漠になっていた。モウハーヴィ砂漠だ。道路はどこまでも一本道であった。退屈さにまどろみそうな目を何げなく外に向けていると、右手遠方の丘に沿って大きな湖のようなものが見え始めた。砂漠の真中に湖とは、と不思議に思いながら注視していると、それはバスが走っても走っても常に右手前方の同じ方角に見えているのだ。初めて見る蜃気楼《しんきろう》だった。その表面は水色ではないが、太陽光線を反射して輝いている水面のように見える。確かに大きな湖であるかのような錯覚を起こさせる。蜃気楼を真の湖と思い込み、どこまでも追いかけ、ついには渇死《かっし》していった人々の話を、子供の頃から幾度となく読み聞きしていたせいか、冷房完備の超モダンなバスに心地良く乗っていながらも一瞬何となく不安な気持に襲われた。そして、砂漠の奥深くにはいっている自分というものを否応《いやおう》なしに強く意識させられた。

四方を見渡しても砂と砂利以外には、一草木も視界にはいってこない。砂漠が死の世界であるのは至極当り前のことなのに、いつしか私は、その中に何かを探し求めようと苛立《いらだ》ち始めていた。何かが欠けている。なぜかそう思った。私の描いていた砂漠とどこかが違う。何となく物足りないのだ。ふと、この砂漠には情緒が欠けている、と思った。私の心の中にあった砂漠とは、一列になった隊商がラクダを引いて、夕陽の地平線に長い影を落しながら消えて行くサハラ砂漠やシルクロードのゴビ砂漠であり、それは〝月の砂漠〟や〝砂漠の歌〟に歌われた感傷の世界でもあった。しかし眼前に広がるこの紛れもない砂漠は、単に、巨大なる砂場にすぎなかった。なぜ、私がこの砂漠に対し、何の感動も覚えなかったのか、その時はよく分らなかった。ただ、少しも情緒感がないことにがっかりしただけで、別にそれ以上考えることもあえてしなかった。

私は再びうとうとした。何度うとうとし何度目がさめても、バスは相変わらずの砂漠を相変わらずのスピードで一直線に東に向かっている。もう何時間、逃げ水を追いかけて来たのだろう。いくら走っても辺りの景色が一向に変わらないというのは薄気味の悪いものだ。アメリカの馬鹿《ばか》げたほどの広さにまだ慣れていなかった私は、ときには何かにだまされているかのような気さえした。

と、前方にもう一つの蜃気楼、今度のそれは湖でなく町のようなもの、が現われてきた。これはそれまでのものとは違って、時がたつにつれ徐々に大きく、かつ明瞭《めいりよう》になっていった。

ラスヴェガスだった。途方もなく大きな砂漠の真只中《まっただなか》に、幻影のごとく姿を現わした幻の都であり、奇蹟《きせき》の都であった。誰がいかなる目的でこの近代都市を、この場所に作ったのだろうか。

私がここに来たのは大した理由はなかった。実際、ラスヴェガスは当初の日程に繰り込まれていなかったのだが、当面の目的地コロラドへの途中であるから、立ち寄っても遠回りにはならないし、ことによったら、賭博《とばく》で一財産を作ることになるかも知れないなどと茶目っ気を起こしただけのことだった。

終点の一つ手前のスターダスト・ホテルで降りると、思わず熱さにむっとした。熱風に瞬間、息が止まりそうだった。サウナ風呂《ぶろ》にはいった直後と似たような感じだ。暑いのではなく熱いのだ。バスの冷房が完全だったので警戒を怠っていたらしい。息を吸うと喉《のど》から気管にかけて火傷《やけど》しそうだ。ホテルの玄関へ歩きながら、もし停電で冷房が使えなくなったとしたら、と思いぞっとした。

午後三時頃にホテルの部屋に落ち着くと、すぐに昼寝をした。この暑さでは外出することはどうせ出来ないからだ。観光都市の昼日なかなどというのは、どうせ間の抜けたものに違いないとも考えていた。目を覚ますと午後の六時過ぎだった。まだまだ外は明るい。ベッドに横たわったまま、日本から持ってきたガイドブックに目を通した。地理、観光などの他に、ティップの標準額やら服装上の注意までが細々と書いてあった。こういうのは有難迷惑というか、折角の自由を規制されるようで不愉快なものだが、それに従わないでトラブルを起こしたりするのが恐《こわ》くて、つい、いつもその通りにしてしまう。実際、トラブルなどはまず起こらないのだが。きちんとネクタイをつけて外に出てみると、夕刻とは言ってもかなりの暑さだった。人通りは思ったより少なかった。誰もネクタイなどしていない。私は目抜き通りの方へ歩き出した。市の中央を貫くラスヴェガス通りとフレモント通りに沿って、両側には一流ホテル、レストラン、二十四時間営業の賭博場であるカシノなどが続いている。各ホテルには、レストラン、プール、カシノなどの他に劇場まであるらしく、入口の巨大な電光板には、上演中のショーを示す文字が点滅している。エルヴィス・プレスリー、トム・ジョーンズの名も見える。

強烈な夕陽を浴びて一時間も歩き回っただろうか。喉の渇きを覚えた私は、ラスヴェガスにしては質素な構えのキャフェテリアに足を入れた。例によってハンバーガーと、喉がよほど渇いていたのか、オレンジジュースとミルクを一杯ずつ注文した。湿度が異常に低いため感じなかったが相当の発汗があったのだろう。

やや品の悪い娯楽案内紙などにゆっくり目を通してから外に出て見ると、辺りは、店に入る前とは見違えるほどのまばゆさだった。酷熱地獄の終焉《しゅうえん》を告げる日没と共に、満を持していた、派手なネオンサインとけばけばしいイリューミネイションが、一斉に輝き始めたのだ。炎天に焦《や》け横たわっていた街が、あっという間に歓楽境に一変していた。華美の極をつくした無数のネオンが、暗黒の夜空に挑戦するかのように高く壮大にそびえ立ち、夜を完全に圧倒している。ネオンの規則的、不規則的点滅がその力強さに甘美さ、妖《あや》しさを加える。夕食を終えて出て来たのか、通りを盛装して闊歩《かっぽ》する紳士、淑女の巨大な流れ。そのうねりに泳ぎ漂うカウボーイ、成金男、ギャンブラー、娼婦……。シーザーズパレス、デザートイン、デューンズ、フラミンゴ、サハラ、サンズ、スターダスト等の超デラックスホテル。ミント、フレモント、ショーボート、ゴールデンナゲット等のカシノ。光の洪水と色の乱舞。私の血潮は、単純に、あっけなく沸騰《ふっとう》した。目眩《めまい》を感じながら、

「これが、本当に、この地球上の都市なのだろうか」

としきりに自問していた。そして、たちまちのうちに、この町の持つ媚薬《びやく》の匂《にお》い、とでもいったものに酔いしれてしまった。

ラスヴェガスは狂気の町だ。それ自身が狂気であると同時に、人をも狂気にする。

これが大都市の一部にあったのならそれほどのこともないのだろうが、とにかく、大砂漠の真中にひょっこり現われた、真の意味で人工の、虚飾そのものの町なのだ。産業もなければ名勝地でもなく、交通の要路というわけでもない。強いて名物を挙げれば、一〇〇キロ北で行なわれている地下核実験による地震くらいのものであろう。人間が、ただ、歓楽のためだけに、これだけの町をそこに造り上げた。人々が都市や田園で営々として貯《た》めた金をここに持って来ては、一夜の歓楽と交換する。この、世界で最も虚である町が、ひょっとすると、最も人間的な、実なる町かも知れない。混乱した頭でそんなことを考えていた。

私は思い切って、スターダスト・ホテルの傍のカシノに入ってみることにした。何と言っても賭博場であるから、一歩足を踏み入れる時はさすがに緊張したが、はいってみるとそれほどのことはない。学校の講堂を拡大したようなもので、カーペットのしきつめられた大フロアには、ルーレット、ブラックジャック、クラップス等のテーブルが豪華なシャンデリアに浮かび上がっていた。各テーブルには、白シャツにお揃《そろ》いの紺《こん》のネクタイというこざっぱりした格好のディーラーが、数人の客を相手にギャンブルをしていて、誰もはいってくる者などに注意を払わない。それに老婦人などが、はしゃぎながらスロットマシーンで遊んでいるのを見ると、妙に安心した。少なくとも、賭博場という言葉から来る陰湿さはみじんもない。何はさておきまず見物をしようと思い、中を歩き回ってみた。顔色を変えてギャンブルに体を張っているなどという者はほとんどいず、老若男女《ろうにゃくなんにょ》が楽しそうに、ときにはディーラーと冗談をたたき合ったりしていた。隅にあるレストランシアターを外の幕間からのぞいて見ると、コメディアンがエルヴィス・プレスリーの物真似《ものまね》をしていて、観客が笑いころげていた。五つのゲームテーブルに一人ぐらいの割合で、黒のスーツを端正に着こんだ監督の男がいて、たいていは初老といった年齢の男であったが、鷹《たか》のように鋭い目つきで、客のみならずディーラーにも細心の注意を払っていた。多分、プロギャンブラーを追い払ったり、ディーラーの監督をしたり、客との間にトラブルの持ち上がった時にそれを解決するのだろう。この男たちのみが、多額の現金の出入りするカジノに、厳然とした権威とでも言うものを与えていた。この厳しさなしには、いくらなんでも大金の動くギャンブルは成立しないだろうと思った。彼らの厳しい目つきや身のこなしが、きわだって印象的だったほど、周囲の雰囲気《ふんいき》は楽しくリラックスしたものだったとも言える。

どのテーブルでも、ディーラーとお客の他に、何人かの私のような見物人が立って飽きずに見ている。他人のギャンブルを、いつまで見ていても飽きないだけあって、どこか間の抜けた顔が多い。私は、うれしいことに間抜けではないらしく、見ているうちに自分も加わりたくなった。まずは自重して、スロットマシーンで運だめしをしてみることにした。これは、硬貨を入れてハンドルを引くと、幾つかの絵が回転して、ちょうどうまい組み合わせに止まると、ジャラジャラと下からコインが飛び出てくる仕掛けになっていて、勝っても負けても大したことはない。やりだすと、運があったらしく、すぐに一〇ドルほどもうけた。

これに気を良くしたのか、あるいはパチンコに毛の生えた程度のスロットマシーンではくだらんと思ったのか、ルーレットをしようと思いたった。ルーレットというのは非常に単純なゲームだ。大きなテーブルに一から三十六までの数字が並んでいて、客がそのどれかに金を置くのである。例えば、十三という数字の上に一ドルを置いたとする。すべての客が金を置き終えたのを見てから、ディーラーが、数字の刻まれた円盤を回転させる。そしてその中に、白い玉をほうり込み、その玉がちょうど十三の所で止まればその客の勝ちとなり、この場合、勝つ確率が三十六分の一であったから、賞金として賭金《かけきん》の三十六倍、すなわち、三六ドルをディーラーから貰《もら》えるというわけだ。十三以外の番号になれば賭金の一ドルはディーラーのものとなる。

賭ける方法は種々あって、例えば〝五または六〟という可能性に一ドルを賭けるとすると、確率が三十六分の二、すなわち十八分の一であるから、勝てば一八ドルを貰える。〝偶数全体〟という賭け方をすると、確率は二分の一だから、勝つと二ドル貰える。他にも賭け方はあるが、とにかく、どの場合でも、上に述べたように、その確率に応じて賞金が貰える仕組みになっている。六分の一の確率なら六倍の賞金、十二分の一の確率なら十二倍という具合に。原理はこの通りなのであるが、簡単に分るように、これではディーラーと客が全くの互角であり、カシノのもうけはインチキでもしない限り0になってしまう。そこで、ディーラーを有利にするため、円盤とテーブル上には、一から三十六までの数字の他に、0および00なるふたつの奇妙な数字が加えられているのである。従って、十三という数字に賭けても、勝つ確率は、実は三十六分の一でなくて三十八分の一なのである。しかるに賞金は、前の通りに三十六倍と決められているので、その分だけ客に不利ということになる。僅《わず》かな差のように見えるが、長時間にわたりやっていると、徐々にこの差が出てきて、たいていの人は、特殊な戦法でも用いない限り必ず負けることになる。

この特殊戦法なるものが、あるかないかが問題であるが、ないこともない。毎回、一ドルずつ賭けていてはまあダメだろうが、賭金の額は客の自由だと仮定すると、自分の勝つ時に大きく賭け、負ける時には小さく賭ければよいことに気づく。しかし、誰も自分がいつ勝つか、などということは前もって分らない。とすると、たまたま勝った時には常に、それまでの負け分を取り戻して余りあるように賭ければよいだろう。こう考えてくると、簡単な方法を思い付く。例えば、何が何でも常に〝偶数全体〟だけに賭け続けることにし、負けるたびに、賭金を前回の二倍に増して行く。一ドルから出発して、それに負ければ次は二ドルを賭け、再び負ければ四ドルを賭け、それでも負ければ八ドルを賭けるという要領だ。ここで勝つとすると、前回までの損が、

$$1+2+4=7$$

であるから、差し引き一ドルのもうけとなる。この方式だと、簡単な計算によって、いつ勝ってもその段階では必ず一ドルのもうけになるから、そこで再び初めの一ドルに戻って、また同じことを繰り返すのである。必勝である。ただし、この戦法は、出発点での仮定、すなわち、賭金の額が無制限であるということに基づいている。例えば、賭金のリミットが一〇〇ドルになっていたとすると、七回連続負けた場合、

$$1+2+4+8+16+32+64$$

だけ、すなわち一二七ドル損をして、次回に賭金を二倍の一二八ドルに出来ないので、ハイソレマデという結末になってしまう。

もちろんカシノではこのようなリミットが設けてあって、上記戦法が出来ないようになっている。もっとも、噂《うわさ》によると、ベテランのルーレット・ディーラーは、高度のテクニックを駆使して、絶対に負けないように細工することが出来るらしいから、所詮《しょせん》、必勝法はないのであろうが。

一方、ブラックジャックと呼ばれるトランプゲームには、ルールがやや複雑なだけに、かなり高度の戦法がある。しかも、このゲームでは、インチキや細工がきわめて困難なので（カードを手の内からではなく、ケースから取り出す場合に限るが）、巧妙な作戦は確かに有効である。とは言っても、確率論的な考察のみから生ずる戦法では、私の知っている範囲では、せいぜいディーラーとのハンディキャップを0にする程度にしかならない。しかし、ゲームのルール自体が、はるかにディーラーに有利に出来ているから、このような戦法を全然知らなくては、長時間プレーした場合、必敗である。そこで、勝つためには、確率論的戦術の上にさらに、テーブルに出たカードを暗記したりして、それにより賭金の額を変えたり、戦法を修正したりしなければならない。こう書いて来ると、いかにも私がその道の達人か名人かのごとく聞こえるが、実はそうでもない。後日、一週間ほどかけて、ブラックジャックの文献を読んだり自分で計算したりして、その結果の威力を試しに、勇躍ラスヴェガスに乗り込んだことがあったが、二日二晩やって結局は五〇ドルの負けであった。念の為《ため》に付け加えると、二日二晩で五〇ドル程度の損害というのは、ほぼディーラーと互角に闘ったことを意味していて、私はこれを自慢してもよいと思っている。

しかし、なかには、本格的に研究する者もいる。カリフォルニアの某大学の数学助教授は十年ほど前に、ブラックジャックの必勝法について、大型コンピューターを駆使して研究し、その結果を実戦に応用した。威力は抜群で、ラスヴェガスに行くたびに毎回、数千ドルをもうけたという。ついには、カシノから以後来ないよう勧告されたのだが、それでも出かけて行ってはもうけたため、マフィアか何かから、生命の保証はない旨《むね》、脅されたそうだ。さすがにその後は足を踏み込めなかったそうだが、今度は、その必勝法を書いた本がベストセラーになり、二重の大もうけをしたと聞いた。慌《あわ》てたラスヴェガス側は、早速ルールを少し変更して、その戦法が適用されないようにしたそうである。

昔から数学者と賭博《とばく》との関係は深いらしく、そもそも数学における確率論と呼ばれる分野は、トランプゲームに興味を持ったパスカルによって端緒を開かれたと言われている。それと関係があるかないか分らないが、数年前、アメリカ数学会の年会が、ラスヴェガスで行なわれた。アメリカ中の数学者を集めて、カシノの連中と腕比べをしようと大いに張り切っていたそうだが、結局は期待に反して、ほとんどの数学者はスロットマシーンで一ドルぐらい遊んだだけで、ショーなどの見物に、夫人同伴で行ってしまったそうである。ある人は数学に夢中になって、プールで泳ぐ人々にはお構いなく、プールサイドを何時間も行ったり来たりして話題になった。もっとも、なかにはギャンブルが本当に好きな人々もいないことはない。カリフォルニア大学に滞在中、クラップスにこって、毎週末、ラスヴェガスやリノに行っては、月給の大部分を奉納していた日本人有名数学者とか、ブラックジャックの研究を重ねて、行くたびに数百ドルはもうけていた若手論理学者など、たちどころに数人の名を挙げることが出来る。

さて、その夜、ルーレットテーブルの前に坐《すわ》った私はというと、勝負に夢中になるというより、ディーラーや客の表情などを観察しながら、ちびりちびりと二五セント(約七五円)ずつ賭けていた。確率的に考えてみて、結局は損することは分っていたが、時々大当りなどして面白い。当然のことながら、少しずつ資金は減って行った。今度、大当りを取ったらそこで止《や》めようと思っても、いざ大当りが出ると、これは我輩にもツキが回ってきたらしい、一気にもうけてやろう、と思うのが人情で、またずるずると負けこみ、数時間の後には小さな負けが重なり、財布に持っていた現金のほとんど、約一〇〇ドルを失った。ここで止めれば傷は浅かったのだが、そこがギャンブルで、自室に戻り、いざという場合のためにとっておいた予備の一〇〇ドルを新たな軍資金として、再び同じカシノに戻ってやり始めた。夜更《よふ》けだというのに、客の数は一向に減る様子を見せず、プレーするための空席を探すのも容易ではないほどだった。やっと席について、また、二五セントずつ、多い時でも一ドルという健全な賭け方で勝負を楽しんでいた。

長時間坐っていると、入れ代わり立ち代わりテーブルに坐る種々様々な客を間近に観察できて、大変に興味深い。老紳士というのはほとんど見かけないのに反し、老婦人はかなりいて、概して私のようにちびりちびり賭ける傾向があること。黒人はほとんどいないが、時々、坐ってくるのは決まって若い男で、賭金は比較的に大きい。その代わりに、負けると、さっとあきらめて引き揚げてしまう。田舎から出て来たお上りさんらしき人々もこれに似ている。学生はきわめて少ない。一般的にいって、知性教養の高そうな人はどちらかと言うと珍しく、たまに見かけると、例外なく、真剣勝負のような顔つきでやっている……等々。

腹は多少減っていたが、食べる時間がもったいないので、バニースタイルのウェイトレスによって無料で運ばれてくるコークやジュースでお腹《なか》をだましていた。まだこの頃は、損をしていたとは言え落ち着いたもので、ゲームを楽しみ、雰囲気を楽しんでいたと言える。ところが、午前の何時頃だったか、ハップニングが起こった。でっぷりと肥え、ピンクの背広にカウボーイハットという出で立《いた》ちの、年の頃五十歳ぐらいの赤ら顔が、我々のテーブルに坐りこんできた。見るからに高血圧の成金親爺《なりきんおやじ》風であったが、それよりなにより、不器用な手つきで、無造作に数十ドルを現金で賭けた時は、私のみならず居あわせたすべての人がびっくりした。しかもディーラーに大声で何やら話しかけ続けている。二、三度、立て続けに数十ドルを失うと、今度はズボンのポケットから一〇〇ドル紙幣をわしづかみに取り出し、それをいきなり確率が十八分の一という勝つ可能性のきわめて少ない場所にポンと置いたのだ。いささか気が動転した私は、賭金の二五セントを握ったままの右手を、思わず宙に止めた。横目で、恐る恐るその一〇〇ドル紙幣の枚数を数えてみると、全部で三枚あった。これにはびっくり仰天した。アメリカには金持がいるとは聞いていたが、三〇〇ドルと言えば約一〇万円だ。そんな大金を一時に賭けるとは。私だけでなく、そのテーブルにいた他の客たちも見物人も皆、あっけに取られてその男に見入った。それまでの和やかな雰囲気が一挙に緊迫したものに変わった。男は得意満面にがなり続けている。どの人も、自分たちの賭けている小銭の行方などはもはや全く眼中になく、もっぱら男に全神経を集中している。と、その男はやおら立ち上がり、どこから取り出したか、いきなり笛をピーッピーッと何度か思い切り吹いたのだ。さしもの賑《にぎ》わいの、広いカシノも、何事かと一瞬水を打ったように静まり、全員がこちらを注視した。男は委細構わず何やら大声でわめいては、また笛を吹く。監督のボスも我々のテーブルにやって来て見守っている。満場の注目を集めて、さすがに厳しい表情になったディーラーは、気合いと共にルーレットを勢いよく回転させた。ルーレットはいつもより長い時間をかけて止まった。男はすべてを失った。顔を真赤にしてわめきながらテーブルを後にした男の背に、ディーラーが、

「Thank you very much, sir.」

と、一語一語に力を入れて最敬礼をした。

この出来事で、私のペースは完全に混乱したらしい。それまでの二五セント単位の賭け方が馬鹿《ばか》らしくなり、いきなり五ドル単位で賭け始めたのだ。多い時は、一度に一〇ドルも賭けた。戦術も何もなく、ただ、勘だけに頼ってやっていたのだから負け方も早い。あっという間に全部をすった。これを潮時と見て、眠りにつこうと決めた

のだが、部屋に帰ってみると、このまま眠るのがいかにも悔しくて、もう一度だけ勝負をしたくなった。こうなると、旅の疲れやら緊張やらにギャンブルの疲れと空腹感が加わって、抑制力も判断力も完全に失っていた。残金を調べてみると、現金はほぼ全部使い果し、残るは、虎《とら》の子のトラベラーズチェックだけで、その内訳は、コロラドを経てミシガンまでの旅費の約一五〇ドルと、そこに着いた当初に必要となるであろう二〇〇ドル（約六万円）ほどであった。普通に考えれば、旅費はもちろん、新居に落ち着くのに最低は必要な生活費の二〇〇ドルに手を付けられるわけはないのだが、十時間以上も食事抜きでギャンブルしていた頭は、完全に常軌を逸していたらしい。生活費二〇〇ドルのうち一五〇ドルに当るトラベラーズチェックを抜き出して再びカジノに戻ったのである。勝つ自信は少しもなかったし、絶対に勝とうという気力も持ち合わせていなかったのであるが、ただ、理由もなく、やらずにはいられなかった。結果は明らかで、五ドル、一〇ドルという単位で賭けたので、ものの一時間もたたないうちに、すっからかんになった。さすがにがっかりしてカジノを抜け出ると、東の空は既に白みはじめていた。

翌日は昼過ぎに目がさめたが、金がないので、ぜひ、見物したいと思っていたエルヴィス・プレスリーのステージを見に行くことも出来なかった。一度だけ外に出てハンバーガーを食べた他は、部屋で眠ったり、靴下や下着の洗濯をしたりしていた。べッドの上に横たわっていたら、ふと、このホテルでは、それまでのどのホテルとも違って、前日のチェックインの時に、予約した二日分の料金を前払いさせられたことを思い出した。なるほどと理解して思わず苦笑した。話によると、ラスヴェガスからカリフォルニアへ向かうフリーウェイ沿いのガソリンスタンドには、ダイアモンドの指輪とか金時計などが山ほどあるそうである。とにかく、合計三五〇ドルほどを、一夜で失ったわけである。合計金額には大したショックは受けなかったが、身寄りもなければ右も左も分らないミシガンに、たった五〇ドルを携えただけで乗り込むことを考えると、さすがの私も大いに心細くなった。

早速、ホテル備え付けの絵葉書を両親宛に出すことにした。今、手許《てもと》に残っているその絵葉書には、次のように書かれてある。

「このホテルのカシノ(賭博場)で$300すった。どうもホテル代が一三ドルとべらぼうに安いので変だと思ったが。まあ、こういうことは昔から大好きなのでしようがない。これで Ann Arbor までの余裕が全くなくなってしまった。多分、着いたらすぐ口座を作り知らせるから、その時、指定するだけ、送って欲しい。

一度はやってみたかった。負けたがおもしろかった。」

三〇〇ドル、と実際より五〇ドル少なく書かれているのはどうしてだったか分らない。最後の文句は、心細さを隠すための強がりらしい。結局は、その東京からの送金が九月の上旬になるまで届かず、約三週間というもの、毛布、シーツ、まくら、トイレットペーパーひとつずつと、パン、バター、牛乳のみで暮す羽目になった。

かなりの間、私は、なぜ、あの時、ラスヴェガスであれほどに我を忘れて、数学的に負けることのはっきりしているギャンブルをし続けたのか分らなかった。相当経《た》ってからはっきりしたことは、その時、単に勝負に負けて悔しいというだけではなく、アメリカ人になめられて悔しい、という思いを強く持っていたことだ。異国の地に一人でいる心細さ、言葉の障害、人種問題、数学研究に関する不安……。もろもろの精神的重圧を支えきるための手段として、アメリカに対する優越感を身につけることが最も手っ取り早く効果的であることを、私は特に意識したわけではないが本能的に知っていた。あらゆる機会を捉《とら》えては優越感を心のうちに形成しようと狙《ねら》っていた。その意味で、ギャンブルに大敗を喫したことは、まことに歓迎されざる出来事であった。信じ難いことに、その程度のことが、一時的にせよ、私を劣等感の虜《とりこ》にしたのである。

ハワイで真珠湾を見た頃から、心の底に根強く定着し始めた〝アメリカ対私〟という奇妙な対抗意識が、時と場所を選ばず頭をもたげては、私を悩ませていた。

3　ミシガンのキャンパス

セミナーでの講演……私は内心この時を待ち望んでいた。
（ミシガン大学構内の著者）

ミシガン大学を中央に、その周囲に広がったアナーバー(Ann Arbor)は典型的な学園都市で、大学のある町と言うよりも、むしろ大学のためにあるような町であった。至る所に濃緑の樹林が生い茂り、それらが赤煉瓦《あかれんが》造りの古びた大学建物と調和して、町全体に知的に落ち着いた雰囲気をかもし出していた。雨の降る昼下りなどには、緑がいっそうそのしっとりと沈んだ美しさをあらわし、忙しげに行き交う学生や教授たちの心を洗ってくれる。ドイツ移民によって開かれたという町並みは、開放的な明さを持つアメリカ風とは異なり、むしろヨーロッパ風とも言える静謐《せいひつ》さにつつまれていた。五大湖の二つであるミシガン湖とヒューロン湖に挟まれたミシガン州は、数千年前までは一〇〇〇メートルを越す厚い氷河に覆《おお》われていたのだが、やがて大森林地帯に変わり、二百年ほど前に住みついた開拓者が苦労してその森林を切り開いたという。いまでも州の北部には広大な森林地帯が残っており、その辺りは材木業が主な産業で、木材は北米各地のみならず、日本までも送られている。

ミシガン大学は、この州が合衆国に加盟する以前の一八一七年に創設された、アメリカでは割合に古い大学であり、自らを中西部のハーバードと称するだけあって、優秀な教授陣と学生を全米に誇っている。また、フットボールが伝統的に強いことでも有名で、フォード大統領もここのチームの花形選手であったという。校風は一言で言うと質実剛健である。派手なことを嫌い、地味で着実な歩みを尊しとするアメリカ中西部気質の模範のような校風である。これはフットボールの試合にも反映されていて、攻撃においてはロングパスのようないわば華麗なプレーをあえて選ばず、ほとんど愚直に見えるほどの突進を何度でも繰り返す。その代わりに、一歩たりとも退かぬ守備は鉄壁の堅固さで全米一と言われている。

八月中旬のむし暑い昼下りに、私はこのアナーバーに到着した。あらかじめ手配してあった、町で一番の高層アパート、タワープラザの十四階にただちに入居した。両手いっぱいの荷物を下ろすと同時に、商店の閉まらぬうちに買物をすまそうと考えた。シーツ、枕《まくら》とかパンなどはその日から必要だからである。正面玄関を出て見上げると、この二十六階建アパートが、高さに比べ幅がひどく狭いのに気がついた。薄いウエハースを縦にしたような格好で、見るからに不安定である。一体、地震には耐え得るのだろうか、と思いながら見上げていると、誰かが私に道を尋ねた。三十分前に日本から着いたばかりだ、と言ったら何も言わずに行ってしまった。ビルの周囲を一回りしてみたが、ますます心配になるばかりなので、事務室で安全性を確かめることにした。

金髪の美人マネージャーは、私の真剣な表情を面白がるように見つめて、

「この地では、まだ地震の記録されたことはありませんが」

と言って微笑《ほほえ》んだ。そうは言っても明日のことは分るまい、と思うと侮《あなど》られたような気がして、

「こんなウエハースみたいなものは日本ではとても建築許可になりません。絶対に」

と強調した。そして感心したような顔で私を見つめている彼女を後に意気揚々と引きあげた。ただし、この英語が相手に通じたかどうかは、はなはだ疑問である。ウエハースとそのまま発音したが正式にはウェイファーズ (wafers) なのだから。

このタワープラザは、アパートというよりホテルに似た造りをしていた。子供、ペット類禁止のせいか、大変に静かで、カーペットの敷き詰められた廊下はいつも清潔そのものだった。家賃が高いこともあり、住人には、比較的に裕福な独身者とか退職した老夫婦が多かった。私は落ち着いて勉強をしようと、北向きの部屋を選んだ。これは成功だった。冷暖房の完備した場所では室温を心配しなくともよいし、窓が大きく部屋の内部は天井、壁面とも白塗りだったから曇りの日でも十分に明るかった。陽《ひ》射《ざ》しが入らないからカーテンの開閉に神経を使わなくてよいのも助かった。ベッド、冷蔵庫、オーブン等は、あらかじめセットされた部屋 (furnished と呼ばれる) だった

し、地下の洗濯室には、洗濯機と乾燥機があったから、初めての自炊生活でも不自由はほとんどなかった。心配していた料理の方も、生来、食物の好みが淡泊だったせいか不便は感じなかった。朝食と昼食は、毎日、判で押したようにミルク、トーストと卵焼きだった。夕食はステイキ用の牛肉をオーブンで焼き、塩をふりかけて食べるか、あるいはTVディナーで済ました。TVディナーというのは、アルミ製の箱の中に、料理済みの肉、野菜、デザートなどが冷凍されて盛ってあり、指定された時間だけオーブンに入れて暖めると、それで出来上がりという便利なものである。ものぐさな主婦などが、テレビを見ながらでも夕食の用意が出来る、というのでこの名がついている。さほどおいしいというわけではなかったが、私は一応これに満足していた。ところが、数ヶ月たったある時、数学教室の秘書にそのことを話すと、即座に顔をしかめて、

「Oh no, yuck!」

と叫んだ。直訳すると、「オー、ノー、ゲー」となる。

「信じられないわ。それじゃビタミンが全然足りないし、味がひどいうえ、合成保存料や人工着色料とかいろいろ入っているから、いつまでもそんなものを食べているとガンになるかも知れないわよ」

と恐《こわ》いことを言う。そして、これからは自分で料理せよ、と野菜サラダ、サンドイッチ、マカロニおよびビーフシチューの作り方を紙に書いてくれた。これ以後は、ビフテキとTVディナーを一切やめ、右の四つのものを交互に、面倒を省くため一度に大量に作っては三日間食べ続ける、という方式を取ることになった。マーケットで、日本直輸入のインスタントラーメンを見つけてからは、これもローテーションに加わった。

アパート、食事、洗濯などの衣食住に関し、アメリカに適応することは予想したよりはるかに簡単なことだった。これに反し、予想以上に悩まされたのが英語であった。レストランで注文しなかったものが運ばれてきたり、何度繰り返しても通じないので、スペリングを言ったらやっと通じたことなどは幾度もあった。ガソリンスタンドで、四ドル八〇セント払うべきところ、eighty を eighteen と聞き違え、四ドル五〇セントだけ手渡し、そのうえ、

「Keep the change.」（ツリは要らん）

と見得を切って恥をかいたこともあった。アパートのドアマンが私にイヤミを言うので、キッと睨《にら》み返すと、

「I'm just picking on you.」

と言う。また悪口を言われたと思い込み、できるだけ恐い顔で睨みつけてから自室に引き返し、辞書を引くと“pick on ＝からかう、ふざける”と出ていた。早まったと後悔したが、以後、そのドアマンと会うたびに気まずい思いをした。聞きとれない言葉のほとんどは、スペリングを聞いてみると、中学校で習った簡単なものだった。長い単語、例えば understand とか distinguish などは、どんなに不注意でいてもそうとしか聞こえない。それに反し、短く易《やさ》しい単語は、短いがゆえに粗略に発音され、はなはだ聞き取りにくい。その上、多くの用法があって厄介だ。get に例をとると、

「Did you get it?」

の get it は understand it の意味で、ゲティと聞こえる。

「Police will get you.」

の get you は、お前を逮捕する、の意味で、ゲチャと発音される。このように、理解しにくいものは、その都度、躊躇《ちゅうちょ》せずに聞き直した。しかし、実際は、聞き直してすぐに分った、ということはあまりなかった。何度聞いても、彼らは、同じ文章を同じ速度で繰り返すばかりだからだ。こちらの英語力を考えて、別の表現で言い換えてくれる、などということはまずない。おそらく彼らにとっては、難解な単語を駆使

する私が（これとて他の易しい表現を知らないからだけなのに）、get it とか get you のような子供でも知っているものを知らない、とは考えられないのだろう。というわけで、こういう決り文句を会得するまでかなりの時間がかかった。この種の決り文句は他にも、

“It dosen't matter.（たいしたことじゃない。どうでもよい）”

“I don't care.（そんなこと知ったことか）”

“You've got to be kidding.（冗談でしょ）”

など数多くあり、文章ごと覚えていないと、どうにもならないものだ。私はそんなものに出会うと、アパートに戻ってから忘れないうちに、ノートに書き留めることにしていた。また、覚えたら、なるべく実地で使うよう心がけた。そして発音する時には、徹底的にアメリカ人の真似《まね》をした。例えば右の“You've got to be kidding.”はユーガタビーキディンという具合に。この〝貪欲《どんよく》に覚え、臆《おく》せず真似をする〟という作戦は功を奏し、他の人より速く会話に上達したようである。しかし、今、その頃のことを考えると、気恥ずかしさを禁じ得ないのも事実だ。当時の私の話し方は、きっと、

「私は昨夜、ひでえ書物を読了いたしました」

といったものだったに違いないからだ。単語や句、文の選択が、その言葉の意味だけでは決まらず、会話の内容、雰囲気《ふんいき》から相手の教養、育ち、宗教などにまで深く関《かか》わっている、という当然のことを軽視していた。だから、日本式に発音された正統的イギリス英語の中に、いきなり現代アメリカ俗語がキザな発音で現われ出たりした。そこには、自分は外国人であるから許されるだろう、という甘えもあった。そして同時に、自分が外国人であることを忘れていたとも言える。外国人は、「ひでえ」「ズラカル」「おちゃのこさいさい」などの言葉は、知っていた方が便利としても、自ら使う必要は全くないし、むしろ使用しない方がはるかに賢明なのである。日本人はアメリカ人と同じ英語を話す必要はない。正確な英語さえ話せれば、意思の疎通《そつう》は、その深い意味においてでも、完全に可能である。しかしこの事実を理解したのは、かなりの月日が経《た》ってからだった。

九月はじめに秋学期が始まった。初日の朝早く、と言っても午前十時ごろだが、登校すると、研究室の開放されたドアから見えるルイス教授は、すでに机に向かって何か仕事をしていた。数学教室のあるエンジェルホールの四階に与えられた研究室は、ルイス教授と共用で、大きな部屋の両端に机が一つずつ置いてあった。ここでも部屋が不足しているらしく、ほとんどすべての教授が二人で一室ということになっていた。声をかけると、人なつこそうに近寄って来て握手と挨拶《あいさつ》をした。ラスヴェガスで金をすった話をすると、しばらくおかしそうに笑ってから、急にまじめな顔になり、何か不自由なことがあるかと聞いた。金がないので何もかも不自由だったが、何と言ってよいのか分らなかったので、

「I am all right.」

と言ったら、顔つきから私がそれほど all right でもないことを見抜いたらしく、

「それなら、ともかくテレビと毛布とバスタオルを貸してあげよう」

と言ってくれた。毛布とバスタオルは必要としなかったが、せっかくの好意だからと思い有難く借りることにした。そのテレビは白黒の一三インチでかなり古いものだったらしく、やたらと画面が動き回り、止めようとすると波が上下に走り、それを止めると今度は顔がねじれたりふるえだすというような大変な代物《しろもの》だった。裏をみると日本製だったのであまり文句は言えなかったが、音声だけはきれいに出て来たので英語の勉強には大きな手助けとなった。

ルイス教授はさっそく、各研究室に私を連れて行き、何人かの数論研究者に紹介してくれた。アメリカにおける数論の一大センターとなっているだけあって、名の通っ

た人々がいる。不定方程式論の権威であるルイス教授をはじめとして、解析数論の若手では〝世界で最も輝かしい〟と評価されているモントゴメリー、代数的整数論で有望なワインバーガー、アーベル多様体のミルン、楕円《だえん》曲線をしているレイザーなどの教授連につぎつぎに会っては挨拶を交した。

この連中を中心として毎週木曜の夜八時から約一時間研究セミナーが行なわれていた。このセミナーはルイス教授主宰になるもので、各人が最近の自らの研究成果を発表したり、ときには他人の興味ある論文を紹介したりするという形式だった。数論の専門家ではないがそれに興味を持っている人とか、近隣の他大学からの出席者もあったので講演のトピックも多様性に富んでいた。代数的整数論、解析数論、組合わせ的数論、保型関数論、アーベル多様体、楕円曲線、不定方程式、リー群論、二次形式……等の専門家が自分の得意分野の話をひとに聞いてもらい、ときにはディスカッションなどもする。

夜八時開始というのは変わっているが、大勢の人が支障なく集まるためにはこんな時間しかなかったと言う。皆、家で夕食をすませてから大学へ来るわけだ。ふつう、アメリカでの授業というのは時間厳守で、定刻通りに始まりそして終るものだが、このセミナーが定刻八時に始まったことは一度もなかった。我々全員が着席して待っていると、ルイス教授が決まって十分だけ遅刻して入室し、彼が腰をおろすのを合図にセミナーが始まるのである。偉い先生は最後に入室する、というのが洋の東西を問わず一般的らしい。それにしても毎回、ちょうど十分だけ遅れて来るようにするのも、たいへんな神経を使うことだろうにと同情したこともあった。このセミナーが数論に関しては、ほぼ唯一《ゆいいつ》の本格的なもので、数学教室の幾多のセミナーの中でも最大の規模と高い内容を有していた。

セミナーとひとくちに言っても実際は多種多様で、ルイス教授主宰のもののように自分の研究結果を発表することが主となるものの他に、他人の論文や本を紹介するもの、輪読するもの、およびそれらの混合型とでも言うべきタイプのものがあった。なかでも興味を引かれたのは、首を切られそうな講師や助教授が自ら主宰する、どう考えても売名を目的としているとしか思えないセミナーだった。というのは、毎週、各セミナーでの話し手および題目の一覧表が数学教室全員に配られることになっているので、売名には最適だからだ。また、良い仕事の出来ない者だとか、何もしようとしない怠惰な教授で虚栄心だけは人一倍強い者などが、あたかもなにか素晴らしい研究に取り組んでいるかのごとく見せかけるにも、セミナーは利用される。こういう類《たぐ》いの連中は、たいてい大げさな題目をつけていて、ひょっとすると大問題の歴史的解決か、などと思って出てみると、なんのことはない、単に、問題の歴史とか困難さの解説であったり、または、これが一番しゃくに障《さわ》るのだが、その問題を別の形に、実際はよりいっそう複雑困難な形に帰着させて得意がっていたりする。

こういった風潮に拍車をかけているのが、最近数年間にいちじるしく悪化した、数学者の大学での就職難である。悪化した理由は簡単で、数学者の数が大学でのポストの数に比べて多すぎるからである。この多すぎる原因はと言えば、毎年Ph・D（日本での博士に相当する）を取得する人数が、停年などで退職する人の数に比べてはるかに多いこと、および不景気やら大学進学者の減少傾向などから、ポストの切り捨てはあっても増設はほとんどないことである。アメリカの大学では、日本と違って講座制というものがなく、ポストの数はまず、その年の大学予算によって決まると言ってよい。従って予算が順調に増加して行く時は、教授の年収も増え、ポストの新設も可能となる。ひとむかし前までは国家からの資金援助なども豊富にあり、予算にもかなりの余裕があったのだが、ニクソンが大統領になった頃から、純粋科学（すなわち、財界とか国防省が興味を示さない科学）に対する大幅な予算削減がはじまり、いっぺんに窮屈になってしまったらしい。そのうえ、最近では不景気のため、州政府も容易なことではなくなってしまったらしい。そのうえ、最近では不景気のため、州政府も容易なことでは財布のヒモをゆるめなくなった。限られた予算内で優秀な人材を獲得するには、現有勢力の首切りにより空きポストを生み出すのが一番手っ取り早い方法である。もちろん、研究者の方も、いつ自分が解雇を申し渡されるのか常にびくびくしていなければならないとしたら、研究や言論の自由さえ確保できないから、どこの大学でも、上から数えて二つの階級、すなわち、正教授および準教授には、たいていテニュア（tenure）という一種の終身雇用保障が与えられている。一方、それに続く助教授、講師は、何の保障も与えられていないため、契約期限と共に解雇される危険がつきまとう。実際、よほど、抜群に優秀でもない限り昇進するより解雇されることが多い。一流大学を首になると二流大学へ移り、そこから三流大学へという具合に、順々に移り変わり、実力と幸運に応じてどこかでテニュアを得ることになる。しかしこれはうまく行った場合で、この移り変わりも決して容易ではなく、失敗して失業するものも出てくる。従って、最近では一流大学の助教授になっても、そこでテニュアを貰《もら》える確率がきわめて小さいことから、たとえ三流、四流でもそれがテニュア付きのポストであるなら、はじめからそちらを取るというのが常識となっている。実力も思ったほど発揮できず、運にも見放されたような場合は、田舎のコミュニティ・カレッジ（短期大学の一種でひと昔前はPh・Dは行こうとしなかった）で時間講師でもしながら、奥さんの収入に頼って生きて行くか、本当に不運な場合は、失業手当にすがり細々と暮すということになる。なまじPh・Dの肩書きなどを持っていると、民間企業でもなかなか雇ってくれないのだ。普通より年齢が高く小生意気なうえ、月給も多く払わなければならないからだ。

というわけでテニュアのない教授たちが必死になる理由が分るであろう。命がけで研究に精を出すことはもちろん、あちこちのセミナーにできるだけ多く出席して顔をつなぎ、機会あるたびに講演し、人によっては前に述べたような売名のためのセミナーまで主宰する。大学内の活動だけでは不十分なので、あらゆるパーティには極力出席し、教室人事の実権を握る有力教授たち、特に全能の神に近い主任教授に覚えを良くするよう常に心がけ、ときには可愛《かわい》い奥さんと協力してまで彼らのご機嫌をとる。将を射んとせばまず馬を射よで、夫人連の機嫌をとることにもぬかりはない。パーティなどでは、主任教授夫人は、たとえ魔法使いの老婆《ろうば》のような顔であっても若い研究者たちにたいへんモテる。ある有力教授の家で、若手を中心としたパーティが開かれ、私も出席したことがあった。ところが、ふだんはどう見てもモテルはずのない夫人は、その夜にかぎり、あまりにモテたので、調子にのって好きな酒を飲みすぎてしまい、九時ごろ出す予定だったディナーをすっかり忘れ、深夜の十二時過ぎになってやっと出す始末。そのうえ、腹が減って死にそうだった私は、運悪く彼女に抱きつかれて頬にキスまでされ、被害甚大《じんだい》ということになった。

首になりそうな者は、自分の大学だけでそういった努力をするのではなく、それがいかなる遠隔地で催されていようと、学会には必ず出席し、意中の大学の数学科主任教授に顔と名前を売り込む努力までする。毎年一月に行なわれる学会では、そういう若手研究者たちが、各大学の主任教授の周囲に集まって愛敬を振りまいている光景が随所に見られる。私の友人で、数年前に首を切られて現在失業中の男は、やはり同じ目的を持って学会に出席するため、ワシントンまで飛んだのだが、あまりの有様に「あさましい」と言って、そそくさと帰って来てしまった。これだから、優秀な男なのに今でも無職で、精神科医の奥さんに食べさせてもらっている。

こうしたテニュアなしの若手数学者に続く、大学院を卒業したてのPh・Dたち(new Ph. D. と呼ばれる)は、より困難な状況の下にある。コネがほとんどないうえ、博士論文以外には出版された論文もまずないから、自分の教授の推薦状だけが頼りの綱である。これだけを頼りに、採用選考の始まる一月頃には、数十の大学に応募するのである。この推薦状は、書かされる教授にとっても非常な苦労で、それは「教授としての義務」とみなされているのではあるが、まさかコピーをとって送るわけにもいかないので一枚一枚書くことになり、教授にとってもその時期は地獄のシーズンと言える。

ところが、new Ph. D. たちにとって、これも救いの神になるとは限らない。というのは、教授がかなり正確な評価を書いてしまうからだ。正直な評価と言うべきか。日本では推薦状と言えば、まずどんなものでも、結婚披露宴での新郎新婦紹介に近いような内容だが、アメリカではそうはいかない。たとえば、いい加減なことを書いて、それにより当人が採用されたとする。実力のはっきりする世界だから、遅かれ早かれ馬脚があらわれるであろう。そうなると、以後、その教授の推薦状はもちろん、悪くすると教授自身の信用まで地に墜《お》ちてしまうからだ。

推薦状が大きく物を言う採用選考なのだから、それだけ厳しく考えられているのであろう。すこし大げさに言えば、その一片の紙に、関係する人々の職業的生命がかかっていると言える。私もミシガン大学のあとに移ったコロラド大学時代に、プリンストン大学の某有名教授が、彼の学生である new Ph. D. のために書いたものを見る機会を得たが、次のような調子であった。

「彼の博士論文は、残念だが、独創的であるとか優れていると言うことは出来ない。しかし、この難解な分野を理解し得たという点で、将来良い方向に進む可能性があると思う……」

また、某大学で、昇進が問題になっているA助教授に関して、そこの教室主任から問い合わせを受けた別の大学のB教授の返答には、

「彼はなかなか多くの論文を持っている。しかし、そのうちのいくつかはC教授との共著であり、それらにおいては、功績はC教授に帰すべきものである。また、A自身で書いた論文は、いずれも新しい結果ではあるが、それほど深いものだとは思わない。私は、貴教室が彼の昇進を考慮するより、他の候補者を探された方がよいであろうと信ずる」

というような趣旨のことが書かれてあった。日本ではとても考えられない内容である。私はAもBも知っていたが、年齢も離れているし、経歴、実績から言っても、二人はライバルとは考えられない。だから感情的というより率直な意見なのであろう。思わず私は、この手紙の内容がAに知れたらどんなことになるのかと考え、どきっとした。いま、手許《てもと》のアメリカ数学会名簿で調べてみると、Aは結局、その大学で昇進できず、従って解雇され、現在、聞いたことのない地方大学で教えている。

応募者の数は、ほとんど信じられないほど多く、私のいた年のミシガン大学では、教授に平身低頭して書いてもらった虎《とら》の子の、しかし当てにならない推薦状を履歴書に添えて、一流から四流、五流までにわたる数十校に送付する。

三名の講師を募集したところ、二百名以上の応募があったし、翌年のコロラド大学では、二名の助教授のポストに対し五百名以上にもなった。この修羅場で、new Ph. D.たちに代表される若手研究者は、孤軍奮闘し、そして多くが敗れ去る。毎年、約千名のPh・Dが生まれ、その三分の一前後が、そういった人々である。彼らは、前に述べたように、コミュニティ・カレッジで教えたり、民間会社にはいったり、なかには将来性の少ない数学社会に見切りをつけ、医学部に入学し直して再出発を計る者なども出てくる。しかし多くは、自分の好きな研究を、大学に残って続けるという夢を捨てきれず、翌年のチャンスに賭《か》けて頑張るということになる。その間に、卓抜な研究の完成する可能性を信ずるわけである。

さて、我々のセミナーに話をもどすと、そこでは、さすがに題目で人を驚かそうとしたりする者はいなかったが、なかにはどう考えても、くだらないと形容するしか他にないような講演もあった。ただし、こういう講演を馬鹿《ばか》にして欠席したりするのは、あまりよくない。講演者に対して失礼であることは世界共通であるうえ、このようなくだらないと思われる講演が、ときには失われた自信を取り戻す契機になったりするのだから。毎回毎回、素晴らしい研究成果ばかりを聞かされていたら、瞬《またた》く間に自信喪失に陥ったうえ、深刻なノイローゼになってしまうだろう。これは論文でも同じことで、大学者の大論文ばかりをむさぼり読むのは、大学院の学生までで、その後は、ときには凡庸な論文を読むことも、あながち無意味とはきめつけられない。

というわけで、私は秋学期が始まって以来ただの一度も欠席しなかった。皆勤賞はもらえなかったが、有意義ではあったと思う。世界的な評価の定まっているモントゴメリー教授は、さすがに力強く華麗で、スケールが大きいのに加えて細かなテクニックも抜群で、専門を異にする私でも感動さえ覚えた。ワインバーガー教授は切れ者で、いかなることでもただちに理解してしまう。それに、彼はアメリカ人にしてはたいへんな博識で、話し方も要点を衝《つ》いて上手だ。アメリカ人にしては、と言ったのは、日本で第一線に立つ数学者のほとんどは、どうしてかおそるべきほど、博識だからだ。欧米では、折紙付きの優秀数学者でも、博識とは言えない者が多数いるのだが。その是非については意見の分れるところであり、デリケートな点も含んでいるので、ここではこれ以上触れないことにする。

ミルン教授はニュージーランド生まれで、のちにアメリカに移住し、ハーバードでPh・Dを得た秀才なのであるが、美的感覚に欠けているのか、私の肌に合わないのか、大道具を駆使して飛び跳ねるわりには、あまり印象づけられなかった。レイザー教授

は、口を開くと二言目には、

「私がハーバードにいた時……」

が飛び出し、ハーバードを東大に置き換えれば、日本でも似たような者がいたこと
を思い出し、思わず失笑してしまった。

十月中旬のある日のセミナー後、ルイス教授に、二週間後のセミナーで話すように頼まれた。彼の頼みを断ることは、まず出来ない。アメリカに招いてくれたという個人的な恩があるからだ。そのうえ、彼はミシガン大学数学教室のボスであり、アメリカ数学会でも、かなりの勢力を持っている。彼自身は、ただのボスに止《とど》まらず大ボスになりたい、という政治的野心を持っているようなのだが、正直すぎるのが災いして、なかなかなれない。大ボスになるには、ある種の資質を必要とする。正直すぎてはいけない。相手の意見が自分と違っていても、一応聞いてやり、面子《メンツ》を立ててやったうえで、裏でそれを無視し自分の意見を平然と通す、ということが出来なければならない。これにより相手は畏怖心《いふしん》を抱くからだ。ところが彼は、相手が誤っていると判断すれば、公衆の面前であろうとなかろうと容赦なく攻撃し、完膚なきまで叩《たた》きのめしてしまうのである。これでは叩きのめされた本人の憎悪《ぞうお》はもとより、周囲の人々さえ、心情的に追随したくなくなる。しかし、私にとっては大ボスであったから、講

演依頼を即座に承諾した。と書いてくると、いかにも、止《や》むを得ず引き受けたような感じを与えるが、じつは、私は、この時を今や遅しと待ち望んでいたのである。

ミシガンに到着して以来、なぜか、自分が周囲の人々に軽んぜられているような感じ、または疎外感《そがいかん》みたいなものを抱いていたのである。これにはいろいろの原因があったのだろうが、やはり英語力の欠如によるところが大きかったように思う。たとえば、セミナーや研究室などで、数人の仲間と討論になったときに、彼らの言うことがよく聴き取れなかったのだ。彼らが私に話しかけるときは、すこしスピードを加減するのであろうか、ほぼ完全にわかったし、私のしゃべる言葉も十分に理解されたのだが、彼ら同士で話しているときは、傍《そば》で聞いていてなかなかわからなかった。とくに、冗談などを交し合うときは、全くお手上げで、むこうがげらげら笑っているときなど、自分ひとりが真面目《まじめ》な顔をしていては極り悪いかと思い、無理に口許《くちもと》をゆがめて歯を見せたりしたこともあった。たまに苦心して作った冗談は、むこうにはトンと通じない。こういったことが続くうちに、彼らが次第に私を遠ざけようとしているのではないかとさえ思われ出した。かようなことは、取るに足らぬことと思われないでもないが、強固なる自信を持つ大学者ならいざ知らず、私のようなものにおいては、次第に卑屈感やら敗北感、さらには劣等感、それも語学のみにとどまらず全般にわたっての劣等感につながり始めていた。このコンプレックスは、当然の反作用として、私を不必要なまでに攻撃的にさせた。日本にいた頃は、こんなことはなかったのだが、ミシガンに着いてからかなり長い間、他人の講演を聞きながら、くだらん、とか、当り前だ、馬鹿らしい、などといった批判を心の中でつぶやくことが多かった。大学の外でも、中古車ディーラーとなぐり合い寸前の喧嘩《けんか》をしたり、アパートの管理人にしつこく文句を言ったり、隣室の黒人にレコードの音がうるさいと厳重注意をしたり、とかく腹を立てることが多かった。そのうえ、ひよっ子の大学院生までが、一人前の顔をして私に数学を語ったりする、などと八つ当りまでしたこともあった。これはたぶん、自分が大学院生なみ、もしくは同程度と見なされているのではないか、という妄想《もうそう》によったものだろう。とかく、劣等感というものは厄介だ。毎日劣等感につつまれているのはもちろん、私のように連日、劣等感とその派生物である優越感がめまぐるしく交代するのも苦労なことだった。

ともあれ、自信回復のためには、数学で見返してやるしか他にないことは明らかだった。それにはセミナーが最も手っ取り早い絶好の機会だ。この与えられた好機を逸したら、また当分は人々に軽んじられ、肩身の狭い、不愉快な思いを続けなければならない。悪くすると、自分ひとりの問題に収まらず、日本の数学、ひいては日本そのものまでが軽く見られるおそれもある、などと例によって大飛躍して考えていた。従って講演を頼まれた瞬間から、何を話せば最も強く彼らに印象づけることができるかを、考えに考えた。結局は、仕上げてまだ日の浅い博士論文の内容を中心に話すことが、無難でよかろうと思い、「local-global principles in number theory」(数論における局所大局原理)という題目を選んだ。これはやや謙譲心に欠ける大それた題で面映ゆかったのだが、非常事態を前にしては仕方があるまいと自分を納得させた。そして、ただちに、精力的に準備に取りかかった。もちろん、話の筋は細部にわたって検討済みなので、セミナーのメンバー一人一人の専門領域を考慮に入れ、各教授につき、出て来そうな質問を予想し、それに対し適切と思われる解答を周到に用意した。戦いの前に敵を知り、その対策を立てることは、孫子の兵法にもかなっている。十一月二日の当日までには、十枚ほどの英文原稿まで作りあげてすっかり暗記してしまった。あまり気負っては見すかされるおそれもあると思い、ところどころに冗談を挿入しておいた。そういう個所は、早口に言わねばならぬので、滑らかに口のまわるよう、とくに念入りに練習した。

さてつぎに大事なのは、その展開の仕方である。作戦である。これには昔から、序破急をはっきりさせることが基本となっている。そこで、スタートはまず、文学的かつ哲学的な歩みで聴く人の心に静かなロマンを呼びさまし、中途では、ここと思えばまたあちら、と蝶《ちょう》のように華麗で激しい舞いにより目を回させて、まだその目の回っているうちに、自分の研究結果をあたかも森羅万象の統一的解釈であるかのごとくに、さらりと暗示して終りにする、という作戦を立てた。

結果は大成功のようだった。序の部分では、東洋の神秘に魅せられていたようだったし、破の部分では、目眩《めまい》を起こしていたように見えたし、急では、酔ったような溜《ため》息《いき》が聞こえたような気もした。ただし、用意しておいた冗談はどれも、いかなる反応をも引き起こさなかった。練習が十分すぎて、早くしゃべりすぎたため、誰も聴きとれなかったらしい。待ち構えていた予想質問も、ひとつも出てこなかった。これでは、何のために二週間の周到綿密な準備をしたのかわからなかったが、とにかく、出された質問にはすべて、その場で満足のいくよう答えることが出来た。ひとしきりの最終質問の出尽くした後で、軽く頭を下げると、全員が、それまでの誰の講演の後でもみられなかったほどの盛大な拍手をしてくれた。私は、「やった」という嬉《うれ》しさと、やっとこれで一人前に扱ってくれるだろう、との思いに浸りながら、上気した顔のまま、うす暗い廊下に出た。研究室の鍵《かぎ》を開けていると、誰か後から肩をたたく者がいる。振り返ると、ワインバーガー教授が感動したような顔に笑みをたたえて、

「素晴らしかった！　とても興味深かった！」

と言って握手を求めてきた。チョークで白くなった手のまま握手をしながら、この男は人をおだてるような人間ではないから、本音を言っているのだろうと思った。しかし、果して同じ賞《ほ》め言葉を彼が、自分より上と思っている人間に言うだろうか、と考えたら、うれしさも半分になった。続いてルイス教授が来て、

「素晴らしい話だった。全く素晴らしい！」

と、珍しく満面に笑みを浮かべて言ってくれた。たかがセミナーでの講演くらいに、こんなに大げさな祝福をされて、すこし当惑したが、彼も自分が日本から苦労して招いた男がうまくやってくれて、心から嬉しかったのだろう。そう思うと、私もふたたび浮き浮きした気持になった。やはり皆に印象づけることが出来た。ルイス教授への恩返しにもなった。これからは、廊下を歩くときも、図書室へはいるときも、胸を張って行ける。たった一時間というものが決定的に自分を変えたのだ、などとひとりで感激していた。

耳の奥に、拍手の音と讃辞《さんじ》の声を残しながら外へ出てみると、静まりかえった夜のキャンパスは、昼間とはまったく違った別世界を創《つく》っていて、冷気が紅潮さめやらぬ頰を心地良く刺激した。見上げると、冬の星座が胸に沁《し》み入るようなブルーにまたた

いていた。全宇宙が、自分を祝福しているようにさえ思えた。氷点下の寒気を思いきり吸い込むと、鼻の奥まで冷気が通り抜けるのを感じた。歩きながら、ルイス教授の最大級の賞讃を何度となく思い起こしては幸福感を嚙《か》みしめていた。いつもは冷え冷えとして醜い鉄筋コンクリートの高層ビルでさえ、今夜は堅牢《けんろう》壮麗に見えるし、角のスナックの窓ごしに、いつも見えるデブのウェイトレスも、今夜ばかりはルノワールの絵のように豊満で美しい。

十四階にあるアパートの自室から眺めると、夜の灯は、町全体に無数の光り輝く水玉のようにちりばめられ、遠くの鬱蒼《うっそう》と暗い森の辺りで消えていた。私はゆったりとしたソファに身を沈め、夜景を見やりながら静かに余韻を味わっていた。と、ふと、ルイス教授が講演中に、気持よさそうに居眠りしていたひとこまが、私の心のなかに大きく浮かび上がった。一日は終った。夜を呑み込んだまま微動だにしない天空を、私は黙っていつまでも見つめていた。

4　太陽のない季節

冬のミシガンの厚い雲の下で、私は窒息しそうだった……。
(雪化粧のアナーバー)

夏と冬だけがミシガンの四季である。そう人が言うだけあって、冬の到来は早かった。十月の声を聞くとともに、氷点下に気温の下がる日が多くなった。さしも壮麗だった紅葉の林も、葉をことごとく散り落し、裸になった木々の間には寒々とした岩肌がさらけ出されていた。十一月末の感謝祭に行なわれる恒例のミシガン大対オハイオ州立大のフットボール試合を最後として、外出する人々の数はめっきり少なくなった。青空が見えないというのが、この地方での典型的な冬の天気だ。毎日曇り空が続き、雲が少し厚いなと思っていると必ず雪になる。しかも吹雪になることがしばしばだ。十四階の自室から外を見ていると、粉雪は横なぐりになったり、斜めに走ったり、と思うと突然ふざけたように空中に静止したり、時には下から上へ舞い上がってきたりした。十二月にはいると寒さもいっそう厳しさを加え、夜から朝にかけては摂氏零下二〇度以下になることさえよくあった。そんな朝にカーテンを開けると、窓ガラスの内側に付着した室内の水分が、べったりと氷結しているのを見出《みいだ》したものだ。

私は相変わらず頑張っていた。当地に到着以来、間断なく抱き続けていた同僚に対する露骨なまでの競争心やライバル意識、および、帰国の日までに成果を挙げてルイス教授や日本で待つ人々の期待に応《こた》えたいという自尊心などが私を研究に駆り立てていた。毎日、大学の研究室とアパートを往復するだけという日々が続いた。日本にいては、いろいろの意味でやりにくい研究というものがあって、そういうことをするためには外国に一人でいることは実に快適だった。とかく研究の動機、正当性、必然性とか研究対象の哲学的価値といった七面倒なことを問題にしたがる者の多い日本から遠く離れて、アメリカ人のように、自分の出来る範囲の研究をただ、無邪気にする、ということは初めての経験であり、精神衛生上すこぶる良かった。十二月初めになって、多少不満足ではあったが一応の結果が出たこともあり、私は滞在予定の一年を延長したいと思うようになった。日本に急いで帰る理由もないし、今言ったような意味での研究環境の良さもあるし、いつかゆっくりアメリカを見物して回りたいとも思った。同じ場所に続けて二年間いるのも能がないように思えたので、ミシガン大学以外の二、三の大学に助教授として応募してみることにした。競争の激しいことは承知していたが、自分がどのように評価されるか試してみるのも面白いと考えた。一月になって早速、東京にいる先生方に推薦状を依頼した。アメリカのどこかの大学で見ず知らずの人に評価されるのは面白いかも知れないが、日本の先生方に推薦を依頼するというのは、自分が鉄面皮な身の程知らずと思われるかも知れないと考えると、なぜか気遅れのすることだった。それに、もし応募したどの大学からも拒否された場合、いかに高い競争率であったにせよ、第三者としてのアメリカの大学が客観的に判断した結果、自分を十分に高くは評価しなかったということに違いはない。そしてその結果が推薦を依頼した教授たちを通してそのまま日本に持ち込まれる危険性さえあった。たとえ正当な評価であろうと、そんな危険は避けて通るのが安全だろうし、拒否される可能性の高いことを考慮に入れると、ますます、分のない賭《か》けのような気がした。しかし、その時は、自分は自分以上ではあり得ないし、もう人のことはどうでもよい、となかば居直ったようになっていた。

もし行けるとしたら、最も行きたかったのはコロラド大学だった。その美しいキャンパスには前年の夏に寄った時大いに魅せられていたし、なによりそこには世界的に有名な、数論における最高峰の一人、シュミット教授がいたからだ。実は、彼とは研究上のことで手紙のやりとりをしたことがあって、赤の他人というわけではなかった。私が彼の論文の結果を応用したことがあったし、彼が私の論文を引用したりもした。ミシガン大学に来てからも手紙の交換があった。彼から送られてきた論文の一部を簡易化することが出来たので、その証明を送ったところ、折り返しそれに関する未解決の問題を知らせてくれたのだ。それは、ディオファントス近似に関する彼自身の定理が、一見独立しているように見えるウィルシング教授のものと、関係があるのではないかという問題であった。この手紙を貰《もら》ったのは十一月の末頃だった。私は、直感的に面白そうだと思い少し考えてみることにした。と、何のことはない、それほどの独創性を発揮したというわけでも何でもないのに、数日のうちに簡単に解けてしまった。シュミットの定理が、実はウィルシングのものを含んでいたことが分ったのである。しかし、出来た割には、さほど嬉《うれ》しくはなかった。自分がまた、どこかで勘違いをしているに違いないと思ったからだ。シュミット教授ほどの大数学者がそんなことを見落すはずがないと思われた。前にも一度、日本にいた頃、私はある問題を出来たと思い込み、彼に証明を送ったのだが、その直後に誤りを発見し、急いで謝罪の手紙と新証明を送ったことがあった。そして、さらに悪いことには、そのまた直後、あわてて送った新証明の中に再び誤りを発見し、再度謝罪と新証明を急送するという、思い出すだけでも冷汗の出るような大恥をかいたことがあった。だから今度という今度は同じ失敗は許されなかった。証明に要した日数の倍もかけて、用いられた論法の一つ一つをチェックしてみたが、どうしても誤りを見出すことが出来ない。自分が誤っているることを確信しながら、どこで誤ったかが分らず、それを見出そうと努力するのは大変辛いことである。いつまでたっても見出せないと、しまいにはノイローゼ気味になってくるし、たとえ運良く見出したとしても、そんな誤りを犯した自分の軽率さにあきれ果てるのが関の山だ。

ルイス教授やその他の同僚に聞いてみようかとも思ったが、間違いを発見された時に、恥の上塗りになるだけだと思ったから誰にも言わなかった。何度も見直しているうちに、次第にイライラしてきて、このままでは神経衰弱にでもなりかねないと判断した。そこである日、一思いにその証明をシュミット教授に送ってしまった。そして、翌日から彼の手紙を待つ日々が始まった。まさかこれを発端に、自分が深い泥沼に足をとられ始めていたとは知る由《よし》もなかった。

十二月が過ぎ、正月を迎えても返事の手紙は届かなかった。

私は自分が再び、とんだ勘違いをしてしまったのだろうと信じ込んだ。そして、考えられることは二つ。彼が今度で二度目の人騒がせに立腹して返事をしない、または、前と同じように訂正か再証明の急送されるのを待っているかのどちらかだった。

手紙を出した後も、時々証明をチェックしてみたが、徒労に終った。このような状態では、希望のコロラド大学に応募してみても、採用してくれる可能性は千に一つもないと思い、他の大学には応募書類を送ったが、そこだけには送らなかった。しかし、事はそれどころでは収まるまいと思われ始めた。彼はきっと、私を自分の分際もわきまえぬ大法螺《おおぼらふ》吹き、よく見てもせいぜい救いようのないおっちょこちょい、と、軽蔑《けいべつ》しているに違いない。自分は大変な失敗をやらかしてしまった。例によって調子に乗りすぎて……。

これほど、破廉恥《はれんち》なことはない。こんなことでは彼と研究上の文通をすることも、もはや永久に不可能となった。それは、秘《ひそ》かな誇りでもあったのに。しかし、より本質的なことは、こういったことが、自分の数学者としての生命に漂う重大な暗雲と思えたことだ。某数学者の言った言葉を思い起こしていた。

「問題が解けないのは許される。しかし、問題を間違って解いて、その誤りが分らないというのは罪が重い」

私は、年の明ける頃にはすっかり滅入《めい》ってしまっていた。一月に入ると青い空というものは全く見えなくなり、毎日雪模様だった。外に出ると、寒いというより冷たく刺すような感じを無防備の顔一面に受けた。毛孔《けあな》の一つ一つに、先の鋭い氷を突きさされるようだった。どの人も毛のついた厚い帽子かフードで頭から耳をすっぽりと被《おお》って歩いている。さもないと耳がちぎれるように痛くなるからだ。吐息がかかるのだろう、髭《ひげ》を凍らせながら歩く若者もしばしば見かけた。

こんな中を、毎日、昼食後に大学に行っては郵便受けをのぞいて落胆していた。冬休みで誰もいない校舎にもはいっては、空の郵便受けを確かめた。かじかんだ手で部屋の鍵《かぎ》をかけて出る時は、侘《わび》しささえ感じた。

そのうちに、この日課だけが唯一《ゆいいつ》の日課になった。他に何も出来なくなってしまったようだった。身体《からだ》の具合もどこかピリッとせず、初めは風邪か流感だろうくらいに高を括《くく》っていたのだが、いつまでたっても治らなかった。何をするにもだるくて持久力がないのである。何もしなくてもだるかった。力が筋肉に全然はいらないうえ、たやすく気分が悪くなったりした。体温を計ってみるといつも正常だったからなおさら、原因が分らなかった。部屋の中ではコンクリートに周囲から圧迫され、外に出ると厚い灰色の雲に上部から圧迫され、ほとんど窒息しそうだった。

もちろん研究など出来る状態ではなかった。たまにやる気が起きて、机に向かっても、考え続ける力は湧《わ》いてこなかった。机に向かうと多くの場合、片手で重い顎《あご》を支えたまま、何時間でも飽きもせずに、目の前にある七階建の駐車場の屋上を見下ろしていた。この駐車場は私をかなり慰めてくれた。屋上に車が動いている時はもちろん、降りしきる雪が車輪の跡を音もなく消しているのさえ私には面白かった。いつの間にかこの屋上に関して知らないことはなくなった。

朝の八時前に駐車場が下の階からだんだんと詰まってくる。普通の日だと、七階の屋上までぐるぐると回りながら昇って来るのは五十台ほどで、スペースが満車になることはなかったが、フットボールの試合日とかお祭りなどの特別の日は朝から満車で、せっかく昇って来たのにUターンして降りて行く車さえあった。五十台ほどの車のうちの約四分の三は、高い所が好きなのだろうか、階下が空いていようといまいと、毎日そこまで昇って来ては、まわりの状況にはお構いなく、判で押したように同じ場所に駐車した。フォルクスワーゲンがきわめて多く、毎日記録をとってみたら、平均して十三台だった。しかも、その運転者の七割が若い女性であることも発見した。アメリカの乗用車には格というものがはっきりしているが、そこに来るのはたいてい格の低いものだった。コンパクトカーが多く、たまに大型があると、二十年前のキャデラックというような類《たぐ》いだった。旧式キャデラックを運転するのはなぜか、常に黒人であった。また、授業のあるはずの平日に、数人の不良中学生がそこで煙草《たばこ》を吸ってから、帰りがけに、付近にあった数台の車のアンテナを手当り次第に引きちぎって行ったのを目撃したこともあったし、小学生の女の子が車と車の間でおしっこをしたら、仲間の数人も一斉にズボンをおろしてそれに加わったのも見た。ほぼ一日おきくらいには、いたずら坊主《ぼうず》たちが雪をまるめて下を通る車めがけて、投げつけていたが、意外に命中しないこと。たまに当ると大喝采《かっさい》をしてからただちに一目散に逃げ出すこと。

逃げる時は最寄《もよ》りのエレベーターを用いず、一番遠くの隅まで走って行って、そこのものに乗ること。最も用心深いのは、まず最寄りの階段を一階だけ走り降りてから遠くのエレベーターまで走って行くこと。ほとんどの運転手は雪の玉が車の天井に落ちても気づかぬか、気にもとめないで走り去ってしまうこと。停車して上を見るのは、ボンネットかフロントグラスに当った場合だけで、それでも十台のうち九台は行ってしまうこと……。

とにかく、その頃、この屋上に関して、私は世界中の誰よりも詳しかっただろう。駐車場の観察をしていない時は、ベッドに寝そべって、居眠りをしたり本を読んだりした。本といっても、数学の本ではない。一度そうしたら十分もたたないうちに目眩《め まい》がしてきたので、以後は止《や》めた。中学時代の友人に数学がまるで駄目な男がいたが、全く同じことを言っていたのを思い出して妙な気分になった。

読んでいた本は、大したものではなく、当時ベストセラーになっていた『Catch 22』とか『Go ask Alice』とかの軽いものだった。このような寝たり起きたりの生活では食欲の湧くはずもなく、時刻が来ると無理に食物を腹に詰め込むという状態が続いた。病気から来たノイローゼ症状か、ノイローゼから来た病気症状なのか、どちらかは分らなかったが、この二つが相乗作用を起こして共に悪化していった。

昼間のうちは、駐車場が見えたので、少しは助かったが、陽が落ちる頃からは辛《つら》かった。夕陽の見える日はあまりなかったけれど、そんな日は必ず日本のことを思い、郷愁の念にかられた。一月、二月には、夕陽はほぼ真西に沈む。少ししか開かない窓を思い切り押し開いて顔を半分ほど出して見ると、太陽はアパートの北壁に沿って赤く沈んでいった。ミシガンの日没は、ちょうど、日本の日の出と時間的に一致していた。小窓にもたれかかり、夕陽の沈むのを見ながら、何故に自分はこんな所に幽閉され苦しんでいるのだろうかと思うと、激しい孤独感と望郷の念で胸が張り裂けそうだった。

夕焼けの見えた日は、信州のそれを想っていたし、吹雪の夜には、こたつに丸くなりながら聞いた、吹きすさびや雨戸のしなる音等を思い出していた。そして無性に淋しかった。日本を出て五ヶ月も経てから、突然現われたホームシックが新たにノイローゼに加わったようだった。その当時、本当に身体的に異常があったのかどうかは今もって判明しないが、とにかく精神的には、この二つの怪物に押しつぶされていた。夏から秋にかけて頑張りすぎたため、疲労が出ていたこともあったのだろう。セミナーでの講演が成功に終った後は、同僚も何かと話を持ちかけてきたり、未発表の面白そうな論文を見せてくれたりもした。時には私の研究室に質問を持って来ることなどもあって、大学においての気分はかなり改善されていた。が、それと引き換えに、それまでの研究活動の原動力の一つであった「なにくそ」精神を失ってしまっていた。何もかも忘れさせてくれたこの万能の杖《つえ》を失うと同時に、秘かにその出番を伺っていた悪魔が、一斉にその姿を現わし始めたようだった。私はこんな状態に多少当惑もした。アメリカに滞在したことのある人々に聞いた話では、誰もがそこでの生活を大いに楽しんだはずだったのだ。自分が彼らとどう違っているのか、どうしてアメリカに素直に融《と》け込めないのか、どうして疎外感《そがいかん》から脱《ぬ》け出せないのか、懸命に考えてみた。「性に合わない」と言えばそれまでだろうが、それでは満足のいく答えになっていない。

まず第一に考えたことは、親しい友達、特に女友達を持つことが出来ないからではないかということだった。そしてこれは確かに一因であった。独身者の週末は、ことに辛い。金曜の夜には、皆外出してしまうせいか、アパートの灯の多くは消えてしまうし、部屋の中にじっとしているのがたまらなくなって通りに出ても、見えるのは家族、夫婦、恋人同士ばかりで、独り者はほとんどいなかった。こういった「単位」で歩いている人々に会うたびに、私はその周囲にぐるりと張りめぐらされた厚い壁を見た。壁の中の眼は、一人歩きの私に対し、彼らの平和をいささかでも乱さぬよう警告を発しているようにさえ見えた。そんな「単位」とすれ違う時は、その壁にぶつからぬよう思わず道の脇《わき》に逃げたものだった。パーティにおいても、劇場やレストランにおいても、そこに見るのは個人の集まりではなく、単位の集まりであった。私は自分自身が単位を持つことの必要を認めた。ここの社会では、独り者は常に除者《のけもの》であり、傍観者でしかなく、時には負け犬でさえあった。女友達を持ちたいと願った。それは理屈なしの男としての欲求でもあった。健康に伸び育ったアメリカの若い女性は美しくセクシーだ。私も木石ではないから、いつまでも手をこまねいてながめていたわけではなかった。その必要性をはっきり認識した後では、勇気を奮《ふる》い起こして行動に移したこともあった。

ある土曜日、フットボール試合のある日の昼前だった。入場券を二枚、しっかりと握りしめ、街に出て一人歩きの若い女性を見つけては、次々に一緒に見に行かないかと誘ってみた。恥も外聞も名誉も威厳も忘れて、死んだつもりでやってみた。当って砕けるのは許されるだろうが、当ろうともせず砕けているのは、人間の屑《くず》だと自分に言い聞かせて勇気づけた。自分より一〇センチも背の高い大女も誘ったし、背後から見てすごい金髪美人だと思い込み、声をかけてからショックを受けたこともあった。間違って既婚女性まで誘ったりしながらも誘い続けた。しかし、後になって冷静に考えると、どう見ても成功するはずはなかった。誘う場所や方法がまずいことはさしおいても、突撃寸前の決死隊員のように、悲壮な眼を青白くひきつった顔にランランと光らせ、震えそうな唇を必死に抑えながらもぐもぐ言っていたのだから。ある時は丁重に、ある時はそっけなく、ある時は親切な嘘《うそ》でやさしく、……ことごとく断わられた。一時間も歩きまわって十数人に断わられたうえ、一人一人の顔などをよく見る余裕はなかったせいか、ついには、回り回って同一の娘を二度も誘ってしまい、笑われてしまった。この時ばかりは蒼白《そうはく》だった顔が一気に、赤いピーマンよりもっと赤くなった。惨敗《ざんぱい》だった。やっと諦《あきら》めて、ふてくされながら一人で競技場へ向かった。「下手な鉄砲も数撃ちゃ当る」というのは真赤な嘘であると大いに憤慨した。ポケットの中で握りしめていた二枚の券が汗でぐっしょりとなっていた。

この他にも、さまざまな努力は払ったのだがすべて失敗に終った。日本でもやったことのないガールハントなどをアメリカでやっても勝算のないのは当り前だった。というわけで女友達はいつまでも皆無であった。これは年頃の男として単に淋しいというだけでなく、やがてアメリカの男たちに対する劣等感にまで発展していった。この淋しさもまた、研究に没頭していた時には忘れていたのだが、それが一段落して、心に少しの空洞が出来るやいなや、はっきりした形で擡頭《たいとう》してきた。同僚たちも、彼らの家でのパーティに招いてくれたり、その家族も親切にしてくれたのだが、家族はやはり家族であり、その時は確かに家庭的雰囲気《ふんいき》を楽しむのだが、アパートに帰ると、それだけ余計に独り身の憐《あわ》れさを感ずることが多かった。このように、女友達とか家族とかの、「愛の対象となりうる人々」がいなかったことは、孤独感、疎外感の大きな理由ではあった。しかし、それがすべてとも思えなかった。それだけでは、そこはかとなく感じていた空虚感、最近では強く感じていたもの、を説明しきれなかった。

日本にいた頃と、内面的に見て何がどう違っているのだろう。私は長い間考え続けた。そしてふと、アメリカに来てこの方、「優しさ」というものから遠ざかっていることに気づいて、はっとした。日本にいた当時は「優しさ」を持っていたように思えた。

晩秋の夜半には庭にあった柿《かき》の葉が星のまたたきに驚いたかのように突然震え、音もなく宙返りしながら舞い下りるのをいつまでも見守ったこともあった。雪の降り始めに見た屋根瓦《がわら》にうっすらと描かれた白模様の微妙な感触。早春の朝、夜のうちに積もった雪の面にかすかに滲《にじ》んでいた紅梅の色と淡い香り。自然のひそやかな息づかいにさえ思いを寄せること……。

すべては遠い彼方《かなた》のものとなっていた。この「優しさ」は、もちろん、弱さとしばしば結びついていたが、よく考えてみると、私においては強さとも密接な関係にあった。強すぎる時には私を鎮静し、弱すぎる時には心のよりどころとなって私を支えるといった意味で、強弱の平衡をとる安定化装置の役を果していたらしかった。それが一体、どこに行ってしまったのだろう。アメリカに来てからは、毎日が研究、言葉、生活などとの闘いの日々であったから、そんな「優しさ」は不必要などころか有害でさえあったのかも知れない。そういう日々の続くうちに、いつしかどこかに忘れてしまったのかも知れない。しかし、日本にいても闘いの日々はあったことを考えると、それだけでは説明しきれなかった。私は再び考え込んだ。研究からはさっぱり遠ざかっていたが、数学者としての執拗《しつよう》さは失っていなかったらしい。疑問は、なぜ「優しさ」を喚起されなかったか、思い出しもしなかったか、ということだった。

アメリカにも日本と同様に、美しい物はいくらもあった。グランドキャニオンの壮大な美しさ。ミシガン北部の紅葉の見事さ。無数にある湖の水の青さ。地平線にゆっくりと沈む赤い夕陽。どれも美しいと思った。絵として見たら日本のものより数段上と思われるものもあった。しかし、不思議なことに、感動したことは一度もなかった。何がこ思い出せなかった。「優しさ」を目覚めさせてくれることは決してなかった。

「優しさ」の違いをもたらしたのだろうか。人間は、少なくとも自分は、何に対して「優しさ」を持つのだろうか。どんな美しさを前にして感動するのだろうか。私はベッドの上にだるい身体を横たえながら、机に向かって駐車場を見下ろしながら、吹雪の夜にはカーテンの隙間《すきま》からそっと顔を出し、夜をえぐるような不気味な音を繰り返しつつ、窓にたたきつける雪におびえながら、考え続けた。

しばらくたったある日、私は「アメリカには涙がない」ということに思い至った。モウハーヴィ砂漠にも、湖の青い水面にも、壮大なグランドキャニオンにも、どこにも涙がなかった。土壌に涙がにじんでいなかった。それに反して日本には……。思わず、これだと飛び上がった。これですべてを説明できる、と小躍りした。私は日本で美しいものを見ても、それが単に絵のように美しかったから感動していたわけではなかったらしかった。その美しさには常に、昔からの数え切れない人々の涙が実際にあるいは詩歌などを通して心情的に滲んでいた。飛鳥《あすか》の里で、変りばえのしない田の畦《あぜ》道《みち》を歩きながら、何故に私は胸を熱くしていたのか。大和の丸っこい山々のどこが美しいのか。伊良湖《いらこ》の恋路ヶ浜のどこにひかれたのか。飛鳥の里においては、万葉集に歌われた涙を肌に直接感じていたし、大和路の、幾百年の風雪に耐え、なお微笑《ほほえ》みを忘れぬ野仏においては、蒼然《そうぜん》たる古苔《ふるごけ》の一つ一つにさえ、名も知らぬ庶民の熱い涙をひしひしと感じたものだった。恋路ヶ浜では、芭蕉《ばしょう》がそこで拾ったというイラゴ石を波打際《なみうちぎわ》に拾い集めながら、あるいは、島崎藤村に歌われた椰子《やし》の実を波間に探しながら、連綿と続く涙の流れを胸に感じていた。人々の涙。昔の人々の涙。農夫の涙。漁師の涙。村人の涙。貴族の涙。歌人の涙。恋の涙。歓喜の涙。慈悲の涙。感謝の涙。裏切られた者の涙。失敗の涙。成功の涙。貧苦の涙。子を失った母の涙……。

私は、これらすべての涙をその風景の中に、足下の土壌に、辺りを包む光と空気の中に、瞬間的に感知し、感動していたに違いなかった。

こう考えてくると、アメリカに歴史のないということが致命的に思えてきた。昔から通る人のいなかった不毛のモウハーヴィ砂漠で何を感じたらよいのか。ここに、シルクロードの砂漠との決定的な差があった。森の中の小さな、お人形のように可愛《かわい》い湖にたどりついても、一休みした後、岸辺で何を思ったらよいのか。

これに比べて日本は長い歴史があるし、そのうえ国土が狭いこともあって、至る所に、どの土にも水にも光にも涙の浸透と堆積《たいせき》があった。少なくともそう感じさせてくれた。ひきかえアメリカはどうだ。文化や伝統の重みもなければ微妙な美しさも繊細な情緒もない。あるのは大味で無味乾燥な白痴美だけではないのか。このような土地に何の予備的な心構えもなしにやって来てひからびてしまった。水気のない植物のように、しなやかさを失ってしまった。筋肉の上に頭脳が坐《すわ》っているだけのロボットのようだ。私は感情の奔流にとことんまで、押し流されて行った。そしてアメリカに対する気持は、幻滅などはとっくに通り過ぎて残酷なまでの軽蔑《けいべつ》に変わり、ここに来たことへの後悔にと転じていった。それは美しい日本への渇望《かつぼう》となり、ホームシックを助長し、さらにはノイローゼと一くるみになって雪だるま式にふくらんでいった。

問題の本質は自分なりに解明されたようだったのだが、問題の解消には結びつかなかったのだ。それにしても、重くしぶとい雪だるまだった。どんなにもがいても払い除《の》けることが出来なかったし、たまに顔を出す太陽にも一向に溶けなかった。

こんな時に限って眠っていたはずの心の古傷が、その生々しい傷痕《きずあと》を開いたりする。枕《まくら》をかかえたまま眠れぬ夜を送ることが多くなった。

二月になっても変わりはなかった。空は相変わらずのどんよりで、しばしば雪になった。雪は決して白くはなく、それはいつも灰色だった。思い切り青い空と明るい太陽をどんなに見たかったことだろうか。健康の方も好転の兆《きざ》しはなく、不眠症が加わっただけ悪化していた。

東京の両親からはしばしば手紙が届いた。帰る日を首を長くして待っているという内容が多かった。余計な心配をかけさせないために、健康のことは知らせてなかった。

たいていの場合は、母が家族とか親戚《しんせき》の様子などを綴《つづ》った後で、父が最後に俳句をひねるというのがならわしだった。その頃貰《もら》ったものにこんなのがあった。

紅梅の色にじませて　春の雪

一行の俳句が、多くの場合、数十行にわたるニュースの山より以上に、私の郷愁を呼び起こしたものだった。

そんな二月中旬のある日、既に諦めていたシュミット教授からの手紙が届いた。

「貴方《あなた》からの手紙を見ました。私はインドのタタ研究所に一ヶ月半ほど行っていて、最近帰ってきたばかりです。返事が遅れてしまい、申し訳ありませんでした。さて、貴方の送ってくれた証明は、全く正しいです。私は見落していたようです。重要な指摘をして下さって、心から感謝しております」

私は思わず、身体中の力が抜け落ちるような気持になった。すべては取り越し苦労だったのだ。自分が正しいのでは、いくら頑張っても誤りを見出《みいだ》せないはずだ。とにかく大恥をかくことは免れたので一応嬉《うれ》しかったが、どうしてこんな時期に、そんなに長くインドくんだりに行っていたのかと恨んだりもした。この手紙は私を一日だけ幸福にした。シュミット教授が私のことを「なかなかやるわい」くらいには、思っていてくれるかも知れないと思った。そこで既に期限が過ぎているかとも思ったが、その日のうちに応募書類をまとめて、コロラド大学の数学教室主任宛《あて》に送った。東京の先生方にも推薦状を至急コロラドへ送ってくれるよう依頼した。そこでは、助教授を二人募集していたのだが、応募者が五百人を上回ると聞いていたので、首尾よく選ばれる確率は零に近いとも思われた。その上、英語での講義、学生指導という点を考慮されると、日本人であることの不利が表面に出てくると考えられた。しかし、一方ではシュミット教授が私を欲しいと、万が一にでも思うかもしれないし、そのためには、あの平和主義者の彼が、他の教授連を相手に、これまた万が一ではあっても、奮戦するかも知れないという望みもわずかながらあった。

いずれにせよ、長いこと気に掛かっていた手紙の件は良い方に解決したし、机の中にタイプしたまま置いてあった応募書類も送ってしまったので肩の荷が軽くなったようで、やや清々した。その夜は久し振りにぐっすり眠れた。

しかし、これでさっぱりと立ち直れるだろうとの期待は空《むな》しかった。翌日から再び同じ苦しみが続いた。確かに手紙の件がすべての発火点ではあったが、その時までに火の手は大きく広がりすぎていた。発火点が消えても全体の火には影響を及ぼさなかった。むしろ、その事実に気づいて、事態の深刻さを改めて認識したと言える。そして、ついにはこのまま異国の地ミシガンで死んでしまうのではないかと考えるようにさえなった。死ぬ時には絶対に、たとえ瀕死《ひんし》の状態であっても、日本に運ばれてから死にたいと思ったりした。部屋の窓が大きく開かないように出来ているので、誤っても身体が外には飛び出ない、と考えては安堵《あんど》の溜息《ためいき》をついたこともあった。私は明らかに生命の危険を意識し始めていた。こんな気持になったことは生まれて初めてだった。精神的なものの他に重大な病魔に肉体を冒されているのではないかとも思った。とにかくこのままでは危ない。ある日の朝、思いきって大学病院に電話し、一週間後に予約をとった。なるべく早い機会にどうにかせねばと思った。

約二ヶ月間も数学の研究から遠ざかっていたことは、初期においては夏から秋にかけて頑張ったための休養として冷静に受け取っていたのだが、それが次第に焦《あせ》りとなり敗北感となり、帰国の迫りつつあることを考えるとほとんど絶望感にさえなっていた。

死刑宣告を待つような一週間が過ぎた。

その日の朝は今でもよく覚えている。アパートからニッケルズアーケードを抜け出て、アナーバー銀行と大学の間を走るノースユニバーシティ通りに出た。やはり冷たい雪がちらついていた。博物館横を通り抜け、陸橋を渡り、人気《ひとけ》のない大きなグラウンドにさしかかると風が突如激しくなり、四方から吹き寄せる粉雪は顔から首からと所構わず攻めたててきた。安物のバーゲンで買った防寒ジャンパーのフードで頭をくるみ、それが突風にまくられないよう、手でしっかりと抑えていた。抑えている手袋の毛糸の編み目から寒風が自由に吹き込み、じきに痛くなるのでしばらくの間一方の手で抑えると、次にはポケットに入れておいたもう一方の手に取り替えるということを周期的に繰り返していた。北風に吹き飛ばされぬよう腰を折り、背を前に丸め、顎《あご》を引いたまま、足下のすぐ先を見つめながら歩いた。少しでも遠くを見ようと顔を上げると、寒風が喉元《のどもと》から吹き込むからだ。長靴も登山靴も持っていなかったので、人の歩いた靴跡からはずれるたびに、短靴の中に雪が容赦なくなだれ込んできた。ふと、この雪道を再び歩いて戻ることはないかも知れない、いや日本に戻るためには、絶対にここを歩いて帰るのだ、などと自問自答していた。顔を下に向けたまま、いつの間にか激しく降りしきりだした雪に、消えかかりそうな人の足跡を必死に追っていた。

夏には五分の道のりだったのを、三倍ほどもかかって病院にたどり着いた。ここは全米で最古の大学病院であり、優秀な医師と設備で広くその名を知られていた。受付に寄ると、青い線に沿ってどこまでも行けと言われた。見ると廊下には、青、黄、赤、白などの線が引いてある。言われるままに、青に沿って歩きながら、早くも自分の運命が自分から離れて、何かの掌中にあることをはっきり意識していた。虚《うつ》ろな気持でどこまでも運命の青い線に沿って進むと、線の終る所に待合室があって、そこで受付をしてから待つことになった。そこは、どこの病院とも同じ風景だった。町の医院では手に負えなかった人たちばかりなのだろうが、一見元気そうに見える私が実は最も早く死ぬことになっているのかも知れないと思うと、不可解なことだが逆に気分が落ち着いた。通された診察室で待っていると、間もなく背は低いが眉《まゆ》が太く、がっしりした体格の若い医者が入ってきた。彼は私の語る二ヶ月間の症状の要点をカルテに書き込んでから、聴診器を胸のあちこちに当ててみたり、私をベッドに寝かせて身体の各所をたたいたり、指で押したりした。そして別に異常は認められないが念の為《ため》検査を受けてから帰るようにと、無表情に言った。X線撮影や血液および尿などの検査だった。

検査結果の出る一週間後、その医師のところに、不安に青ざめた顔のまま行ってみると、しばらくの間、検査項目の一つ一つを目で追ってから、「異常は何もない。全く正常です。私よりはるかに健康だ」と言ってにっこりした。そして、やや不満げな私にはお構いなくこう続けた。

「すべては精神的なものから来ているのだと思います。私は南米のコロンビアに生まれ育って、大学生の時アメリカに来たのですが、やはり初めは友達もなく、ホームシックやノイローゼになったものです。でも、しばらくしてガールフレンドも出来たし、そのうちには、故郷のことなんか忘れちゃいましたよ」

ガールフレンズと複数形で言った時に、一瞬ニヤッとした。そして、別れ際に私の肩をたたきながら、

「研究のことなんか忘れちゃえ！　フロリダにでも行って明るい太陽をたっぷり拝んで、女の子たちと遊び回って来るのが一番だろうね」と、こちらの疑念を吹き飛ばすかのように快活に言い放った。実際、私はこの医者の言うことが単純すぎて、自分のケースには当てはまらないと内心思っていた。しかし、ガールフレンドやフロリダのことはともかく、本当に身体のどこかが悪いのなら、再検査をするから、とかの理由で、再度の来院を要請するはずだと考えたら、初めてホッとして、笑顔でさよならを言うことが出来た。帰り道は久し振りに足取りが軽かった。とにかく肉体的には完全なのだ。肉体さえ大丈夫なら、すぐにはくたばるまい。少なくとも、日本の土を踏むまでもうしばらくは持つだろうと思った。風はなく雪もほとんど止《や》んでいた。いったん融《と》けた歩道の雪が再び凍ったのか、はき古した靴の底がやけに滑った。ジャンパーのフードで頭部をすっぽりと包みこみ、両手をポケットに入れたまま、つるつると足

をとられながら歩いた。

「太陽、太陽、太陽が必要だ」心の中でそうつぶやき続けていた。

5　フロリダ——新生

私は感情の奔流の中で、一瞬にしてアメリカに恋をしていた。
(フロリダの海岸)

雪のミシガンを後にして、車は一路南へ向かった。殺風景なオハイオを通り抜けケンタッキーに入ると、それまでの平坦な地形が突然なだらかな起伏を描き出した。三月の初めというのに緑さえ目に入る。それにしてもなつかしい緑だ。ここは南部への入口。果てしなく広がる草原はかの有名なサラブレッド馬の放牧場であろうか。さらに南下し、テネシーに入ると目を洗うような新緑が野を満たしており、ジョージアで春は深まり、フロリダに入るとそこは既に初夏だった。

私はもろもろの疲れを癒《いや》すため、そして出来ることなら新しい力を内に蓄えるため、フロリダを目差して真一文字に南へ向かった。アナーバーからフロリダ南部までは約二〇〇〇キロある。わざわざこの目的のためになけなしの金をはたいて買った愛車プリムス・ダスターは快調に走り続けた。緑と太陽を目がけて、国道七五を南へ南へと疾走した。南下するにつれて少しずつではあるが確実に気温が上昇していくのが面白い。ミシガンを出る時に着ていた防寒ジャンパーと厚手のセーターはケンタッキーで脱いでしまった。ジョージアではワイシャツ姿になり、フロリダに入る頃、念の為《ため》と思って後部トランクにほうり込んでおいたポロシャツを早くも出して着ることになった。

フロリダ半島の中央部を南北に貫くフロリダ・ターンパイクはおそらく世界で最も美しい自動車専用道の一つであろう。この有料道路は大きく開けた緑の果樹園を左右に見て、約四〇〇キロにわたって伸びている。果樹はオレンジやグレープフルーツが主であり、ちょうどシーズンなのだろうか、波打つような濃緑のうねりの中に黄色いものが点々と浮かんでいた。信じられないほど滑らかに舗装された道路は、起伏に沿ってゆるやかな曲線をなしていて、登り坂を登りつめる時には、あたかも身体《からだ》ごと青空に吸い込まれるような錯覚さえ覚える。輝く太陽と乾燥した空気のためかしきりと喉《のど》が乾く。ちょうどその頃合いを見計らったかのごとく、数十キロごとに無料ジュース提供所が設置されていて取りたてのオレンジジュースが喉を潤《うるお》してくれる。そこに見る人々の服装もすでに夏の避暑地と変わりなく、男も女もショートパンツ姿が多い。

ふと、つい数日前に吹雪の中を凍えそうになりながら歩いていた自分を思い出した。そしてまずその変化の大きさに驚き、次いでアメリカの巨大さに圧倒され、終《しま》いには夢と現実がごっちゃになったように頭が混乱した。二ヶ月以上もの間、灰色の空と灰色の雪と灰色の壁に包囲されていた私が、果してその厚い殻がそう簡単に壊されたのかどうかすぐには信じられないのも無理はなかった。私はあっけにとられたように周囲のみずみずしい緑に見とれたり、きらめく陽光に時には目眩《めまい》すら起こしていた。このような世界はとっくに忘れていた世界だった。それは楽園だった。私は生まれて初めて入った楽園に酔いながらも、それがあまりに唐突に現われたため、いくらか惑いを感じていた。

遠くのマイアミには富裕な老人客が行き、ここフォートローダーデイルには若人が集まるということになっているそうで、浜辺は若い歓声で満たされていた。三月初めに来るこれらの若者は、全米各地の大学生らしかった。ちょうどその頃に十日間ほどの春休みやイースター休暇があるからだ。肌の色でどれくらい滞在しているか分るのが面白い。長い期間いる人々のそれはほとんど黒人に近いほどに焼けている。時々見かける「なまっちろい」のは、私のように北部の雪の中から脱《ぬ》け出して来たばかりの者だろうが、何とも不健康で頼りなく見える。ここでは色の濃いほど、はばが利《き》くのだ。

私はバフィーと並んで砂の上にうつぶせになったまま、砂浜を飛び回ったりバレーボールに興ずる若い男女を眺めていた。バフィーはやはり春休みを利用して、金持の祖母の別荘に遊びに来ていた画家志望の女子学生だった。スウェーデンとフィンランドの血を引くだけあって、見事に明るい金髪をなびかせていて、それが、北部から来たばかりなのかまだ透き通るように白い背の中ほどまでも垂れ下がっていた。知り合ったばかりだったが何となくうまが合ったのかすぐに友達になっていた。アナーバーで、ガールフレンドを作ろうと、あれほどもがいたにもかかわらずただの一人も得られなかったのが、旅に出てすぐに、可愛《かわい》い娘とあっけないほど簡単に親しくなってしまったのは、今から思えば妙なことだった。実際、

「Hi! Beautiful day!」

とぶっきらぼうに言っただけなのだから。どうしても女友達を欲しい、といった悲壮なる思いは既にあきらめ捨てていたせいか、ごく自然に話し、振舞えたのがよかったのかも知れない。あるいは、南国のめくるめく太陽が、私を厚く被《おお》っていた過剰なる自意識とか自尊心、また、それまでに重ねた失敗からくるアメリカ女性に対する劣等感などを一瞬のうちに溶解してしまったのかも知れない。たとえ溶解はしなかったにせよ、太陽に目の眩《くら》んだ私にはそういったものを感ずることはできなかった。バフィーはきわめて「解放された」女性で、ある時レストランでドアを開けてやったら、自分でも開けられる、と言って怒ったし、テーブルに坐《すわ》ってからメニューが気に食わないと言って水を飲んだだけで出て行ってしまったこともあった。またある時は「君

は可愛い」と言ったらこれが気に入らなかったようで、「君は洗練された女だ」と言えと注意された。女優のイングリッド・バーグマンに似ていると言った時だけはなぜかたいへんに賞《ほ》めてくれた。

その日の夕方、夕食を共にした後、車で彼女を家まで送って行くと、祖母が笑顔で玄関に出てきた。ところがバフィーと並んで立っている私に気が付くと、一瞬、驚いたような表情を浮かべて私を凝視した。最愛の孫娘に接近しようとしている不良外人に対するような、ほとんど疑惑に満ちた視線だった。何と口を開いたらよいか困り果てていると、機を見るに敏なバフィーが気を利かして私のことを上手に紹介してくれた。祖母は私が怪しい者ではないかと再確認するように、頭のてっぺんから足の爪先《つまさき》までを見回しながら「お入り下さい、よかったら」と、どこかうさん臭そうに言った。それほど積極的な勧誘とは思えなかったので、どうしたものか戸惑っていると、バフィーがもやもやを吹き飛ばすような口調で、「じゃ入りましょう。さあ」と私の目を見つめながら言った。その言葉に促されて中に入って見ると、調度品の豪華さはもちろん、カーペットの厚さがそれまでに見たどの大学教授の家のものともまるで違っていた。ふっくらと白い毛足の長さは一〇センチもありそうで足の裏が床に届いていないのではないかと不安になるほどだった。家に入る時に靴を脱がないという風習には、その時までに既に慣れていたのだが、この時ばかりはおじけづき、一歩踏み込んでからすぐに後戻りして靴を脱いでしまった。

「どうぞお坐り下さい」

と祖母が後を振り返ると、私が一本足になって片方の靴を必死に引っぱっていたので怪訝《けげん》そうな顔をしたが、バフィーがまたもやタイミング良く、どこで聞いて知っていたのか、

「日本人は清潔好きだから家に入る時は皆靴を脱ぐのよ、おばあさん」

と説明した。それまで気むずかしそうだった祖母も裸足《はだし》の私を見て初めて笑顔を見せた。これを境にして私に対する心証を良くしたらしく警戒心をほとんど解いてくれた。

この祖母はエレンさんと言った。夫を二十年前に癌《がん》で亡《な》くした後、毎年十二月になると寒い北部を逃れてこの暖かな地にやってきて翌年の四月まで滞在するというのが慣わしになっていた。七十五歳という年齢であるから一人暮しも何かと不自由なので、高校生の頃バフィーはここに住み込んでエレンさんを助けていたという。近年はエレンさんの妹夫婦が一緒にやって来て芝刈りや庭の植物の世話、家やその周囲の掃除にいたるまでの面倒を見ていた。郵便局を定年退職したというこの妹の亭主は、午前中

にすべての雑用を済ませた後は日光浴をしたり、居間でテレビ映画を観《み》たり、映画俳優のゴシップ等の満載された芸能新聞や雑誌を読んでいた。バフィーが私のことをドクターだと紹介したら何か勘違いしたらしくいきなりシャツの前を首までまくり上げて、

「私は何ともないと思うのだが、近頃、この辺りの具合が少しおかしいからひとつ診てくれないか」

と肝臓付近を指さしながら言った。

話をしているうちに夜も遅くなったのでモテルにでも泊まろうと、電話帳に出ているものを手当り次第に呼んでみたのだが、ほとんどどこも満室で、たまに空室のある所もあったが一人客の短期滞在では割が合わないと思ってか、ことごとく断わられてしまった。少々困ったが、この暖かさなら車の中で夜を明かしても大丈夫だと思ったからとにかく礼だけを言って家を辞した。ところが私が車のエンジンを慣らしていると、飛び出してきたバフィーが、

「よかったらここに泊まらない」

と息をはずませながら言った。私が家を出るのを待って祖母と二人で協議したらしかった。最初日本にはよくある「お義理」かとも迷ったが、わざわざ追いかけて来た

ことを考えると好意からそう言ってくれているように思えた。しかしそれほど簡単に、前日までは見ず知らずの人の家に泊まってよいものか少々躊躇《ちゅうちょ》せざるを得なかった。と、それを見てとったバフィーが、

「何考えているのよ。どこに行ったって空いてるモテルなんてないわよ、今晩は」と催促するように言った。そして私にスッと顔を近づけ「デミアン、おばあさん、あなたのこと気に入ったみたいよ」と小声で言った。

デミアンというのはバフィーが私につけたあだ名で、ヘルマン・ヘッセによる同名の小説における主人公の名だ。このデミアンは人の心を見透す不可思議な洞察力を持っていた。バフィーがどう思ったのかよく分らないが、音の響きが美しいので、私はこの名前をそれ以後学外においてはいつも使用していた。正彦というのはアメリカ人にとってなかなか正確に発音しにくいし、覚えづらいこともあったからだ。

エレンさんの別荘には二つの客室があったのだが、バフィーと妹夫婦が泊まっていたので、私は普段はタオルとかアイロン台などの置いてある小部屋に通された。それらを運び出してから折りたたみ式のベッドを広げたらいかにもベッドルームらしくなった。小部屋といっても八畳くらいの広さはある。割合と快適な部屋であったがなかなか眠りつけなかった。腹が減っていたのである。夕食がパン食だと、ベッドに入る

頃にはどうしても腹が空《す》いてきて寝つけない。自分の家にいる場合は多少のものをお腹《なか》に入れるのだが、他人の所ではそう簡単に行かない。特に皆が寝静まった頃に起き出して冷蔵庫を開けるのは盗人《ぬすっと》のようで気が進まない。昼のうちにクラッカーでも買っておけばよかったと後悔したが、こんなことを考えているうちにも腹は空く一方だ。ますます目は冴《さ》えてくるし、どうしたらよいものかと窮していたらふと迷案が浮かんだ。洗面所に行って水を大きなコップに一杯がぶ呑《の》みした。すると案の定、空腹感はたちどころに消えて、まもなく眠りにつくことができた。それにもかかわらず翌日は眠かった。夜明け前になって前夜飲んだ水のせいか尿意《にょうい》に目を覚まされ、トイレに立ったのだが、そのまま激しい空腹感に襲われ、眠りに戻れなくなってしまったからだ。

午前中バフィーは庭で日光浴をしたり画学生らしくスケッチブックを持ち出して草花の写生をしていた。私は長椅子《ながいす》に横たわってそれを眺めたり、もっともらしい批評を言ったり、時には寝不足のためかうとうとしていた。しばらくしてふと応募書類を送っておいた幾つかの大学からの返事が気になってきた。三月上旬と言えば採用にせよ不採用にせよ、決定が下されても早すぎはしなかった。思い切ってミシガン大学の数学事務室に電話を入れてみた。一番親切そうな秘書のエセル嬢に、帰りにおみやげを買って帰るからと約束してから、私あての郵便物の点検を頼んだ。関係のありそうな封書がコロラド大学から届いていた。封を開いて読んでもらうと、それは数学教室副主任のバートン・ジョーンズ教授からのもので次のように書かれてあった。

「当教室が貴方《あなた》を助教授として採用する可能性があります。このポストの契約期間は二年であり、二コース（週六時間ないし七時間）の授業を担当することになります。もし貴方がこのポストに現在でも興味をもっておられるならその旨《むね》を私のところへなるべく早い機会に連絡して下さることを望んでおります」

一度ではよく分らなかったが、エセルに二度目をゆっくり読んでもらうと意味が分った。これはかなり有望だと内心思った。こういった手紙に慣れている彼女の意見を求めると、非常に有望であり、ミシガンに帰ってからではなくただちにジョーンズ教授に電話をした方がよいだろうとのことだった。ジョーンズ教授といえば二次形式論の大家であり、著書を通して以前からその高名を聞いていた人なので少したじろいだが、とにかくエセルの忠告通りに電話をかけることにした。

数学者には朝の遅い人が多いので、まだ家にいると思って自宅にかけてみた。案の定、教授が電話口に出てきて、私がそのポストに大変興味を持っていることを伝えると、やや安心したような、しかし事務的な調子は崩さずに、

「まだ最終決定はしていないが、もし貴君に決まれば近日中に主任からの手紙が届く

と思います」

と言った。教授の慎重な言葉を聞きながら、これはほぼ確実なのだと感じていた。希望に満ちた世界がやっと先に見えてきたような気分だった。何となく身軽になって肉体の隅々にまで力が蘇《よみがえ》ったようにさえ感じた。受話器を置くやいなや庭に勢いよく駆け出てみるとバフィーは私の横たわっていた長椅子に身体を伸ばして日光浴をしていた。

「バフィー、すごいニュースなんだ。秋からコロラド大学の助教授になれそうなんだ。いやほとんど確実なんだ！」

バフィーはちょいと顔を横に向けて私を見ながら、

「そうなの。素晴らしいわね」

と、全然素晴らしそうもなくそっけなく言って、また元通りに目を閉じて太陽の方を向いてしまった。私は拍子抜けしたと同時に軽くあしらわれたためか気分を損ねて、一人で海に行ってくると言って歩き出したら、彼女はぴょんと跳ね起きてついて来た。

浜に出てみると、若者たちの歓声が大西洋の波をかき消すかのようにこだましていた。嬉《うれ》しさでじっとしていられない気分だった私は、バスタオルをバフィーに投げ渡すやいなや海に飛び込んだ。久し振りの柔らかな海の感触だった。浮袋に乗って遊んでいる子供たちをからかったり、時にはがむしゃらに泳いだり、犬かき泳ぎで戯れたりしていた。浜に戻ってみると、泳ぐ気のなさそうなバフィーは仰向けになって本を読んでいた。足の裏を蹴《け》とばすと、

「ああデミアン、ちょうどよい時に来たわ。陽焼けローションを背中に塗ってくれない？」

と言ってこちらの返答も待たずにくるりと身体を半回転させて俯《うつぶ》せになった。言われた通りに背中の砂を手で払い除けると、強い紫外線のためか既にほんのりとピンクがかった素肌が一挙に露出したのでいささか面喰った。きらめく太陽の下、しかも公衆の面前でやるには少々照れ臭かったのだが、バフィーはそんなことには全く無頓着で俯せになって待ちながら、

「少し塗ってからそれを広く伸ばしていくのよ。均等に塗らないと後で格好悪くなっちゃうから気をつけてね」

などと車にワックスを塗る時のようなことを言っている。チューブの腹を押してローションを背中の所々に落してから手のひらでそれを伸ばすというだけのことだが、初めての経験でやや緊張してしまったらしく容器の口の部分を背中に引っ掛けてしまい、「痛い！」と怒られてしまった。この傷は翌日になっても赤くなって残っていた

のだがむろん黙っておいた。

私も少量のローションを顔と肩にだけ塗って海を眺めていたら、三歳くらいの男の子がうろうろと私の視界に入ったり出たりする。あまりに可愛《かわい》いので興味をひかれてみているうちに、そばに坐っていた若い母親と自然に話が始まった。この母親はオハイオから家族二人と共にやって来ているのだが、ご主人がゴルフ狂だとかで海には一切出てこないから毎日子供を連れては浜に砂遊びに来ているのだと言う。大学で英米詩を専攻したと言うだけあって、その方面に詳しくポーだとかキーツなどの話を聞かせてくれた。しばらくの間話が弾んでいたのだが、ふと横を見ると寝ていたはずのバフィーはどこかに行ってしまっていた。勿体《もったい》ぶった文学論に嫌気がさしたのか、相手にされなかったので面白くなかったのか、辺りを見回してみたがどこにもいなかった。探してもしようがないと思いまた会話に戻った。美しい婦人と話すのは嫌いではないし、彼女も退屈しのぎの相手としては飽きのこない日本人だと思ったらしく楽しい話がいつまでも続いた。退屈している相手と話すのは何より気が楽でよい。相手が自分との会話を十分に楽しんでいるかどうかを心配する必要はないし、会話の切れ間のたびにハッと緊張したりしなくてもよいからだ。時には子供をあやしたりしながら談笑していると誰かが肩ごしに「デミアン」と呼んだ。振り返るとバフィーが突っ立って

いて、その横には豊かなあごひげをたくわえた大男が並んで私を見下ろしていた。あれれと思い、バフィーの顔を覗《のぞ》き込むと、

「デミアン、彼マイクよ」

とぶっきらぼうに紹介した。砂に坐ったままぽかんと彼を見上げると、私のことを既にバフィーから聞いていたらしく、すかさず、

「やあ今日は、デミアン」

と言った。

「やあ今日は、マイク。バフィーの友達かい？」

「うん、三十分前からね」

男はそう言って微《かす》かに口許《くちもと》を崩した。バフィーが、

「彼の所に行ってビールでも飲まない？」

と相変わらずの無表情で言った。喉《のど》は乾いていたが、その男はどこかヒッピー風だったし何となく嫌な予感がしたので気が進まなかったが、悪い癖が出て自分の意志とは反対に承諾してしまった。

私の運転する車は男の指示に従って街角を何度も曲がってから、とあるアパートの前に止まった。一足先に車から出た男がアパートの鍵《かぎ》を開けていると、バフィーがス

ッと私の耳許に口を寄せて、

「私たちジョイントを吸うと思うけどあなたも吸うのよ、何でもないから」

と小声でささやいた。

「ジョイント？　何のこと？」

「ジョイントよ。マリファナのことよ。いいわね、デミアン」

ジョイントというのはマリファナを意味する隠語らしかった。私は驚いたと言うよりショックを受けた。当時マリファナに関する私の知識と言えば、それが世にも恐ろしい麻薬の一種で、日本でも暴力団とか不良芸能人などが不法所持により逮捕されたことがある、といった程度だった。動転して、

「バフィー、それを吸うとどうなるんだい？」

と聞いたが、自分が吸うことなどは論外であったから、他の人がそれを吸って凶暴になったり、狂乱状態になったりしなければよいのだがと思ったのだ。向うでは既に鍵を開けた男が我々二人に早く来いと手招きをしている。

「デミアン、何でもないって言ったでしょ。あなたも吸うのよ、いいわね」

車を離れて男の方へと歩き出しながらバフィーは小さな声で、しかし短くきっぱりとそう言った。胸の動悸《どうき》は急速に高まった。顔に血がのぼってくるし、口の中がカラ

カラに乾いた。吸わざるを得ないことになりそうだ。麻薬に手を出すなど考えても怖ろしいことだ。へたをすると警察に捕まり監獄行きか、あるいは外国人である私は即時国外追放だ。たとえ捕まらなくても頭脳がそれに冒されるかも知れない。この方がむしろ怖い。そうなったらコロラドどころの話ではなく商売あがったりだ。しかし、私はまたしても自分の意志とは反対に、男の方へとバフィーと二人で歩いていた。用事を思い出した、とか言って帰るのもいかにも見えすいた嘘《うそ》のようだし、とにかく逃げ出すことはもはや不可能になったと観念した。私はふとこう思った。吸う真似《まね》をしよう。吸ったふりをして実は煙を口の中に溜《た》めたまま奥には入れないでそのまま出してしまおう。それなら自分にも出来そうな演技だし、高校生の頃に煙草《たばこ》で実験したこともある。そうすれば頭脳に与える影響は皆無だろうし、万が一、警察に踏み込まれてもうまく釈明できるかもしれないと思った。

部屋には我々の他には誰も居らず、男はワインとビールを買いに行くと言って私の車を運転してどこかに出て行ってしまった。私はなぜかホッとして、

「でもマリファナって不法なんだろう？」

と、まだふんぎりがつかないように言うと、バフィーは厳しい顔つきで、

「だから何なのよ。本当にあんたって臆病《おくびょう》ね。信じられないわ。私だって誰だってし

よっちゅう吸っているけど何ともないわ。警察だって気にも留めないわよ。フロリダは少し厳格らしいけど北部では売る人しか捕まえないんだから」

と一気に言った。

「でも脳みそを駄目にしちゃったりとか副作用はないのかい？」

「あなた本当に無知ねえ。医学的にも無害だって、いや少なくとも煙草よりは害が少ないということは証明されているんだから。習慣性もないし」

「誰がそんなこと証明したの？」

「ニクソンがマリファナを厳重に取り締ろうとして、大学の医学部教授や有名な医者を集めて調査委員会を作ったんだけど、結局は有害を示す証拠は何も得られなかったんだから。ニクソンったらがっかりしてその委員会を解散しちゃったわ」

バフィーはそう言いながらも本棚の裏とか物入れの底などをひっくり返してはマリファナを探していた。男が彼女にそれを探しておくよう頼んでおいたらしい。どうやら男自身のアパートではないらしいと私は気が付いた。

「どこに隠したのかしら。デミアン、黙って坐ってないで手伝ってよ」

などとこちらの気も知らないで言う。赤の他人の家をひっかきまわすのも気が引けたが彼女は平気だ。

ほどなく帰ってきた男が言うには、やはり私の思ったとおり、このアパートは彼の所有ではなく、ある夫婦のもので、ペンシルバニアからこの地に遊びに来ていた彼が、ふとしたきっかけでその夫婦と知り合って以来、同居しているとのことだった。そして低く小さな声で、秘密なのだがと前置きしてから、実はその夫婦と自分が毎夜同じベッドに寝ているのだと言った。私は呆気《あつけ》に取られると同時に、そんな秘密を共有してしまったことが、自分をますます暗黒の袋小路に追い込んだと感ぜざるを得なかった。男は入口の鍵をしっかりと二重にかけてから窓という窓を入念に閉めて歩いた。もちろん煙を外部に洩《も》らさないためであるが、同時に、錠さえしっかり下ろしておけば、もしもの場合に警察の踏み込みを手間取らせることが出来るし、従ってその間に残ったマリファナをトイレに流すことも可能だからだ。私は丹念に錠を下ろしている男の背を眺めながら完全に幽閉されつつある自分を意識していた。男はどこから取り出したのか、白紙に巻かれたマリファナにライターで火をつけた。初めて見るそれは煙草というよりお茶がらのようなものだった。不器用に巻かれたらしく、紙巻タバコのように太さが一定でない。男は目を閉じて、いかにもうまそうに一服すると、煙を胸に入れたまま無言でバフィーに手渡した。それをやはり無言で受け取るバフィー。回し飲みをするのがこの場合の習慣らしく、静かな表情と落ち着いた動作はほとんど儀式のようにさえ見えた。彼が私にそれを手渡さなかったので一安心した。あのヒッピーから直接まわってきたりしたらどんな病気を移されるか分ったものではないと内心思ったからだ。バフィーはそんなことは意に介せず、男と同じような仕草で一吸いすると、やはり無言のまま私に手渡した。私がそれを右手に受けたまましばらくの間バフィーの横顔を見つめていると、突然彼女の鼻と口から白い煙が大量に吐き出された。煙草とも葉巻とも違った臭《にお》いが鼻をついた。二人は相変わらず黙っていたが、その静寂が私を催促していた。私は観念した。吸いたくないなどとはとても言えない状況だったし、第一、声を発することさえ憚《はばか》られるような静かさだった。先刻考えた通りに、口に入れたままで吐き出すしかない。前の二人と同じように、ジョイントを親指と人指し指で挟み、頬をへこませ、ふっと一吸いすると、昔、煙草で実験した時と同じように、またたく間に煙が口を満たした。何の味もしない。と思ったとたん、急に怖ろしくなってそのまま吐き出してしまった。バフィーが男に向かって、

「デミアン、吸ったことないんだってさ」

と言ってニヤッとした。男もそれを受けてニヤッとしてからすぐに真面目《まじめ》な表情を取り戻し、

「ぐっと強く吸うんだ。胃の底に届くまで吸い込むのさ。腹を使って深呼吸するよう

にね。そしてそのままそこに押し込んでおかなきゃダメなんだ。効かないからね」

と言った。そして私から燃えさしを受け取ると模範を示した。やや大げさに一吸いするやいなや、口をへの字にしっかり閉じて私を睨《にら》みながら、立てた親指を喉から徐々に下げていって胃のあたりで止めた。約二十秒間ほどそのままの格好を保ってから、溜めた煙を一気に吐き出すと、一つ深呼吸をしてから、分ったかと聞いた。続いてバフィーが同じようにお手本を示した。そして私に手渡しながら、

「今度は息が切れるまで中に留めておくのよ。いいわね」

と厳しく言った。マリファナを手に入れるのには、ある程度の危険が伴うし安い物でもないから大切にしているようだった。私がすぐに出してしまうので浪費のように思ったのだろう。また、一人だけ酔わない者がいると座が白けると思ったこともあろう。とにかく二人とも、真剣になって私に注意した。しかし私はまだ怖ろしかったから、口の中に留める時間を長くしたりしてごまかしていた。一本目の終る頃には少し効いてきたらしく、二人は気持良さそうにニコニコし始めた。ただし一本目が終ると言っても煙草のようにあっけなくは終らなかった。長さが一センチくらいになり指で持てなくなると、バフィーがハンドバッグの中から小さなうすいピンセットのようなものを取り出し、器用に燃え差しを挟むと、それを口許に持っていって吸った。燃え

差しが短くなるにつれ、ピンセットは根元に巧みに寄せられる。長さが五ミリ以下になると、もはや口をつけることは熱すぎて不可能になったらしく、唇をとがらして燃え差しに近づけると思い切り音を立てて煙を吸い集めた。最後の、文字通り一ミリまで吸うと、やっと、しかしいかにも惜しそうに捨てて新しいものに火をつけた。二人は代わる代わる私に効目が出てきたかどうかを尋ねるのだが、「全然」と言ってがっかりさせるのも悪いと思ったので、「分らない」の一点張りで通した。すると男が、

「初めての時はたいてい効かないものなんだ。数回経験すると血液中にある程度の量のマリファナが融《と》け込んで、やっと効くようになるんだ」

と専門家気取りで言った。

私は二人がどう変わるか注意深く観察していたのだが、酔った割には大した変化も認められなかったし、狂暴になるどころかかえって柔和にさえなったのを見て秘《ひそ》かに胸を撫《な》でおろしていた。と同時に一つ経験のためここで冒険をしても悪くはあるまいと思い始めていた。二本目になった時、意を決して、ぐい、と喉の奥に吸い込んだ。と思ったとたんに何をどう間違えたのか激しくむせ返ってしまった。そのうえ喉が猛烈に刺激されたらしく、焼けるように痛かった。たまらず水を飲みに台所に走り向かった私の背で二人の笑い声がした。

マリファナを吸ってそれが血液に吸収されると、いわゆる stoned という状態になり、悩みやストレスから解放され大変に自由で幸福な気分になるらしい。また、おかしくもないことが無性におかしくなるらしく、笑い出すことが多いため、笑草と呼ばれることもある。帰り道でもバフィーは事あるごとに笑ってばかりいた。吸った後しばらくの間は煙の臭いが吐息に混じって出て来るから、祖母に気づかれるかも知れないとバフィーが心配するので、傍《そば》の運河に寄り道をして二人で時間を潰《つぶ》した。突堤に腰を掛けて、両脚をぶらんと垂らしながらもバフィーは些細《ささい》なことに笑っていた。対岸の館《やかた》が白いと言っては笑い、運河を走る蒸気船の音を聞いては笑った。そんな彼女を見ていたら少々薄気味悪くなったので、

「バフィー、何がそんなにおかしいんだい。おかしいことなんて何もないじゃないか」

と言ったら、それを聞いて、

「うん、分っているのよ、デミアン。おかしくもないのに笑うなって言うんでしょ。でもしょうがないのよ。私って本当に変ね」

と言ってから今度は上半身を前に倒して死にそうなくらいに笑い始めた。私はますます気味悪く感じながらも、彼女が運河に落ちないようその肩を必死に抑えていた。

エレンさんの家に三日間ほど厄介になっていたが、だんだん彼女の好意に甘えすぎているのではないかと思えてきた。宿泊ばかりでなく食事まで一緒にしていたのだから。確かに彼女は私を気に入っていたらしかった。夕食には、レストランへ自ら運転するキャデラックに乗せて連れて行ってくれたし、その他に細かな身の回りのことまでしきりに気を配ってくれた。食後などにはスウェーデンから移民して来た頃の苦労話を聞かせてくれたこともあった。敬虔《けいけん》なバプティストだけあって、淡々とした言葉遣いの中にも誠実さとか愛情の深さがにじんでいて、たいへんに魅力的な人だった。だから私も出来ることならいつまでもそこに留まりたかったのだが、やはり節度をわきまえねばと思った。そこで三日目の朝、私は荷物をまとめて再び旅に出ることにした。フロリダ半島の他の場所も見てみたいからと理由を述べると、エレンさんは残念そうに、

「もっと長く泊まってくださると期待しておりましたのに。でもそういう理由でしたら私たちに貴方《あなた》を引き止める権利はないわ。本当に楽しかったわ、デミアン。貴方が素晴らしい人だということは初めからわかっていたんですよ。年老いたおばあちゃんというのはそういったことを見抜くことができるんでね。帰りにもまた泊まって行っ

て下さいね。皆で待っていますから。もしそれが駄目でも四月以降は北部に戻ってお
りますからぜひ遊びに来て下さい。シュペリオル湖の近くで春夏は素晴らしい所です
からね」
と言って住所を教えてくれた。
私はその日の早朝に書いておいたお礼の手紙に、食事などに対する心ばかりの謝礼
として二十ドル紙幣二枚を添えて寝室用机の置物の下に挟んで家を出た。いつかは見
つけてくれるだろうと思っていた。
「エレン様。長いことお世話になり、本当に有難うございました。心の底から感
謝しております。そのうえ、かくも素晴らしい祖母様と知合いになれて言い尽く
せないほど幸福な三日間でした。ほんのお礼の印として、僅《わず》かばかりのお金を置
いて行きますが、どうかこれを見てご立腹などされないで下さい。それは私の、
その千倍もの大きな感謝のほんの一部分にすぎないのですから。どうかいつまで
もお元気でいて下さい。本当に有難うございました。ここでの三日間とあなたの
ことは永遠に忘れないでしょう。　暖かく、デミアン」
フォートローダーデイルから大西洋岸に沿って八〇キロばかり北上するとウェスト

パームビーチに出た。ここはまたどえらい邸宅やら別荘の立ち並ぶ地域だ。政財界の大物がこの地に避寒に来るからだ。ケネディ家の別荘もここにある。どの造りを見ても広大にして優雅だ。ほとんどが白亜の館であり、それらが一千坪以上はあると思われる手入れの行き届いた芝の緑の中に、ある時はバロック風に、ある時はロココ調に、時にはお伽話《とぎばなし》に出てくるお城のように浮かんでいる。庭の周囲にはシュロの木々が背を競い合い、下部においてはブーゲンビリアなどの熱帯草花が咲き乱れている。大きな鉄格子《てつごうし》の門から中に続く道を目で追うと、はるか彼方《かなた》に、見たこともない最高級車が二、三台駐車してある。どの邸宅も鑑賞用に作ったのではないかと思われるくらいに豪華だ。きわめて閑静な、と言うよりむしろ人の動きの全くない、眠っているかのごとき住宅街を一軒一軒見て回るのは、美術館で絵や彫刻を観覧する時のように楽しかった。とにかくアメリカの金持は桁外《けたはず》れだと思った。これだけ彼我の差が大きいと羨望《せんぼう》などという感情は起こらないらしく、ただ、感心しながら歩き回った。

午後になって早速浜辺に出てみると、フォートローダーデイルほどの人出はなく、狭い砂浜には若者よりも家族連れや中老年の夫婦などの姿が多く目についた。大金持も裸になってしまえばさほど変わりはなく、そこには当り前の人々が当り前の格好で坐《すわ》っていたり寝そべったりしていた。私は旅の疲れか、相次ぐ冒険の連続による気疲れが出て来たのか、バスタオルを腹にかけたまま仰向けになってうとうとしていた。目を覚ましたのはどれくらいたっただろうか、陽が少し傾いて風が涼しくなってきたせいか、目を覚ました。上半身を起こしてみると、浜辺には人の影も数えるほどになっていた。私は黙って海を見つめていた。それまでは、バフィーやら他の人々との会話に忙しかったし、まばゆい陽光に、いささか興奮していたらしく、海をゆったりとした気分で見る余裕がなかった。

いつ見ても海は豊かだと思った。遠浅を示すかのように波頭がはるか沖の方で白く崩れる。波しぶきに日光が散乱してまぶしい。この白い境界線の向うにはただ、紺青《こんじよう》の海が無限の何かを秘めて眠っている。ふと、風によって運ばれて来た潮の香りが昔を思い出させた。太平洋の浜に坐って見つめた海と何の変わりもない。太平洋もやはり同じように、豊饒《ほうじよう》で、そして深い愛を秘めていた。久し振りの静かな心だった。それは優しさと呼べるものだったかも知れない。ふと気づくと、私は左前方で砂遊びをしていた子供に注意を引かれていた。十歳くらいの女児で、水玉模様の可愛《かわい》い水着をつけていて無心に砂を掘ったりかき集めたりしていた。時々疲れると手をやすめてしばらく海に目をやる。子供に似合わずどこか淋しそうな眼差《まなざ》しだ。長い髪が潮風に翻《ひるがえ》るたびに、夕陽に照らされたダークブロンドが踊るような輝きを放ったり、その直後には微妙な陰影をにじませたりする。私は理由も知らずに引力に吸い寄せられたように立ち上がって傍に行った。

「今日は」

「今日は」

女の子は夕陽を背にして立った私をまぶしそうに見上げた。

「何作ってるの」

「えーと、トンネルとか」

少女は照れたような笑みを浮かべて、腰を下ろしかけた私を顔の両側に垂れ下がった髪の陰から垣間《かいま》見た。最初ははにかんでいてあまり話さなかったが、打ち解けるにしたがって少しずつ話すようになった。小学校の四年生でウェストパームビーチには生まれた時から住んでいると話した。一番好きなことは乗馬で、いつの日か白い馬を買う目的で貯金をしていると目を輝かせて言った。学校では算数が好きだと言うので計算問題を出してやるとスラスラ解けたが、10×10を聞くとまだ一桁《けた》の掛算しか習っていないから分らないと言った。

名前はセリーナという。

「セリーナってどんな意味か知っているかい？」

「うーん知らないわ。どんな意味？」

「晴朗な、というような意味なんだけど」

「よく分らないわ」

「えーと、何って言ったらいいのかな。そうだ、ほらあの青空を見てごらん。透明なほどに澄んでいて穏やかでしょう。そういうことなんだ」

空を見上げたつぶらな瞳《ひとみ》は、海がすっぽりとそこに沈んでいるかのように深く青かった。その美しさに堪《たま》らず、

「Oh, blue eyes!」

と思わず声を洩《も》らしたが、セリーナは私の感動には気づかない様子で、

「うん青いの」

とぽつんと言ってそばかす顔に笑くぼを作りながら私を見た。必要最小限しか口を開かない子だったが、話す時はいつもいかにも恥ずかしそうな風だった。セリーナはいつしか砂遊びをすっかり止《や》めて私と並んで坐ったまま海を見つめていた。二人の影が長く波打際《なみうちぎわ》まで伸びていた。

「セリーナ、一つ質問していいかい」

「うん」

私を見つめたセリーナの視線と私のそれとが不意に出会ってしまい、言葉の切れたままその状態が数秒間続いたので私は不覚にも顔を赤らめてしまった。セリーナも頰を染めたような気がした。いや単に夕陽に照らされて赤かったのかも知れない。

「この海の向うに何があるか知っているかい？」

「この海の向うに？」

彼女は突然の奇妙な質問に、そう言ったまま黙り込んでしまった。しばらくの間、何かを探すように海を凝視していた。私自身、なぜこんな質問を考えたのか分らなかったが、二人で海を眺めていたら、それが急に思い浮かび、このセリーナには絶対に聞いてみなければならないと思ったのだ。潮風に柔らかな髪が揺れると、陽に焼けた肩が見えかくれした。と、長いまつげを二、三度瞬いて私を見つめると、

「horizon（水平線）」

とだけ言った。私は意表を衝《つ》かれてうろたえた。何と美しい言葉だ。感動を抑え切れずに、

「horizon, horizon」

と、うめくようにつぶやいた。そうだ、この海の向うにはイギリスもスペインもヨーロッパ大陸も何もないのだ。それは単に、人間の知識であり常識でしかない。この

青く果てしない大海原の向うにあるものは horizon でしかない。それだけだ。

この突然の言葉を前にして、私は頭の芯《しん》がマヒしたように感じた。私がとっくの昔にどこかに置き忘れてしまってきたもの。純粋な感性、澄んだ魂とでも言うべきもの。それを今、この異国の地でこの少女に見た。そう思った。それにしても、どうしてこれほどまでに感動するのか自分自身よく分らなかった。ほとんど涙ぐんでいた。horizon という言葉の美妙な響きに酔っていたこともある。長いあいだ必死に探し求めてきたものにやっとめぐり会えたような気もした。そして次の瞬間には、なぜか苦しかった冬のミシガンを一気に思い起こしたりもした。いや、日本での思い出までが、入り混じって現われた。私はセキを切ったような感情の奔流に戸惑いながらも、その奔流の中で、埋もれていた〝愛〟がふつふつと蘇《よみがえ》るのをしっかりと感じ取っていた。アメリカにだって、どこにだって、涙の堆積《たいせき》はなくとも、新鮮で美しい涙は確かに存在している。こう考えた時、初めてアメリカが美しいものとして心に映った。そして、上陸以来初めてこの国を好きになった。と言うより、一瞬のうちに恋をしてしまったようだった。恋の閃《ひらめ》きに打たれた時の甘美な目眩《めまい》、それに似たものが私の気持には確かにあった。今から考えると、その恋が実はセリーナへの恋だったのか区別に苦しむが、おそらく両方に、無意識のうちに両者を同一視して、恋していたのではないかと思う。とにかくこの時を境にして、ハワイ真珠湾見学以来心に抱き続けていた敵愾心《てきがいしん》というものは完全に消滅したようだった。

急に黙りこくってしまった私を時々のぞいては、セリーナはけげんそうな顔をした。

「セリーナ、君は名前の通りだね。君は澄んでいる。セリーナだよ。本当にセリーナだよ」

少女は、感に堪《た》えないかのごとく途切れ途切れに言う私に当惑の色を見せながらも、素直にうれしそうな顔でにっこりした。ふと我に返ると陽はとっぷり落ちていた。

「セリーナもう家に帰らなくちゃ。遅くなったから」

「うん、家に帰ったら夕食前に少し宿題しなくちゃ」

「車で送ってやろうか」

「ううん、いいわ。すぐそこだから」

二人は砂を払いながらほぼ同時に腰を上げた。私は、立ち上がったセリーナの頭のてっぺんが私の肩にも達してないのを見て内心狼狽《ろうばい》した。まだほんの子供だったのだ。石の階段を昇って遊歩道に出てみると、そこにはまだ西陽が残っていて、二人が歩き出すと長い影と短い影が誰もいない砂浜の上を離れたり重なりあったりした。私はほのぼのとした幸福感に包まれていた。路上に駐車しておいた車に乗って走り出してもセリーナは手を振っていた。私はなるべく長い間彼女を見ていたかったので最徐行をしていた。バックミラーに映るセリーナの姿はだんだん小さくなっていった。それでもまだ手を振っていた。私は不意に車を道路脇《わき》に止めて飛び出すや、出来るだけ大きく手を振った。はるか遠くでセリーナも両手でそれに応《こた》えた。セリーナ、と声を限りに叫びたかった。再び車に飛び込むと、今度は一目散に走り出した。角を曲がる直前にバックミラーをのぞくと黄昏《たそがれ》の歩道の上に点のようになったセリーナがまだ手を振っていた。

私は翌日も同じ時刻に同じ場所に行って坐っていた。トンネルはまだ壊れていなかった。前日と同じように、人の数は減って、夕陽は落ちていったが、セリーナの姿は見えなかった。夕闇《ゆうやみ》を肌に感じながらしばらくそこにじっとしていた。なぜかこの頃になると潮騒《しおさい》がいっそう高く聞こえる。私は、つと立ち上がって、二人の影の達していた波打際まで行き、セリーナの思い出に白い小さな貝殻を二つ拾った。そしてそれを胸のポケットに大事にしまった。

夜になってバフィーに電話を入れてみた。

「デミアン、どこに行っちゃったの？　突然どこに行くとも言わないで出ちゃってさ。

あたし淋しいわ。また帰って来ない？　ここに！　そこからだったらそんなに遠くないでしょ。あっ、そうそう、さっきおばあさんがあなたの手紙を見つけたわ。涙ぐんでいたわよ、こんな美しい手紙を見たことないって。でもお金はとても受け取れないから送り返すって言ってたわ」

何もかも妙に遠い過去の出来事のように感じながらバフィーの言うことを聞いていた。

それから一週間ほどたってミシガンに帰ると、エレンさんからの手紙が届き、すぐ続いてコロラド大学から採用の正式通知が届いた。

やはり雪模様の日々が続いていた。しかしその雪は、もはや、灰色ではなく白かった。その上を走り回りたいような純白の雪だった。相変わらずの厳寒であったが、私の心は決して凍《こご》えることはなかった。机の小引出しに白紙にくるんで大切にしまっておいた二枚の貝殻は、広げるたびに、あのほのかな潮の香りを伝えてくれた。はるかな水平線に続く淡い香りだった。

6　ロッキー山脈の麓《ふもと》へ

コロラド大学では週六時間の講義を受け持つことになっていた。
（著者の暮したボウルダーのアパート）

ミシガンからコロラドへ移ったのは八月の中旬だった。引越しはすこぶる簡単だった。一年間でたまった家財道具のすべてが、うまく車のトランクと後部座席に収まったからだ。量は大したことはなかったが、大部分が本だったせいか意外に重く、車が後方に傾いていた。途中、見るべきものが何もない、というのがアメリカ中西部の特徴である。国立公園の一つもなければ、山、海、大都市もない。いくら走り続けても景色は変わらず、農場と草原ばかりだ。常時、地平線が望める。農場にはなぜか農夫の姿がまったく見えなかった。初めての土地をあっけなく通り過ぎるのも、もったいない気がしたが、この殺風景ではどうしようもない。ハイウェイ・パトロールだけに注意を集中して、ひた走った。約二〇〇〇キロの道を二日間で走破した。コロラド大学のあるボウルダーに着いたのは夜更《よふ》けの二時だった。ロッキーの山塊が町のすぐ傍《そば》まで迫っている様子が、山と夜空との濃淡の差でうかがえた。とりあえず大学付近のモテルに宿をとり、翌朝、数学教室におもむいた。数学教室のあるエンジニアリング・センターは、一年前にシンポジウムで来ていた。その時は奇怪に見えた三角屋根も、自分の大学だと思って見るとなかなか奇抜で面白い。赤煉瓦《あかれんが》造りの建物は、古びたミシガン大学ほどの重厚さはないが、コロラドの奥深い空の青さや、敷き詰められた芝生の緑によく調和していた。中は全館冷房だった。数学事務室に入ると、二人の若い秘書嬢がタイプを打っていた。可愛《かわい》い方へ歩み寄り、

「すみません。私は藤原正彦と申しまして、今度……」

と言いかけたら、横からもう一方の秘書が、

「ああ、藤原教授ですね。ようこそ。お待ちしていました」

と愛想よく大声で言った。〝プロフェッサー・フジワラ〟が、コロラドの乾燥した空気に心地良く響いた。私は、ここではうまく行きそうだ、と予感した。

一年目のミシガン大学では、研究が主体となる身分（Postdoctoral Research Associate）であったから、大学院の学生などを個人的に教えることはあっても、正規の授業を持つことはなかった。しかし、ここコロラドでは、助教授として週六時間の講義を受け持つことになっていた。義務はこれだけだったが、他に、シュミット教授主宰の数論セミナーと教室主宰のケンプナーコロキウムにも毎週出席するよう頼まれていた。

秋学期は八月末に始まり、新しいアパートに落ち着いてボウルダーの街にも慣れかけた頃、初授業の予定された九月二日金曜日がやって来た。

午後一時半。

半時間後には Math. 240 なる講義を始めなければならない。Math. 240 というのは、主に理学部二年生を対象としたベクトル解析である。その内容はどうといったことのないものだが、得体の知れぬアメリカ人学生の前で英語を一時間もしゃべり続けなければならないと考えると、訳の分らない不安に襲われた。ミシガンのゼミで話した時は、聴衆が専門家ばかりだったから、不安と言っても数学的内容に関するものだけだった。専門家同士というのは、はじめからある程度の気心は通じているのである。「果して自分の言うことを理解してくれるだろうか。分らなくなって教室が混乱したらどう収拾したらよいのか。日本の学生と同じように扱って構わないのか。若さゆえに侮《あなど》られはしないだろうか。いや、個人的な原因で侮られるなら我慢できようが、日本人としてだったら許さん」

などと弱気になったり、急に気強くなったりしていた。

緊張が徐々に高まってくる。トイレに立った。机上に開かれた教科書に目を通しながら、所々に要を得た説明があったりすると下線を引いてその部分の文章を丸暗記したりする。教室で衆目にさらされている自分を想像しては最後のリハーサルをする。

自己紹介、特にあらかじめ用意した冗談の部分を最終おさらいしていると、ドアが開いたままであったことに気づき慌《あわ》てて閉め切った。

一人だけの部屋で、身振り手振りよろしく、表情豊かにしゃべったり笑ったりしているのを他人に見られたら致命的にまずい。なかなかうまく行かず、言うべきことを忘れたり、とちったりする。時計を見るとあと五分しかない。再度、トイレに立つ。ふと、小学校の運動会で徒競走《ときょうそう》の前には必ずトイレに駆け込んだことを思い出して苦笑した。

それでも、手を洗いながら、緊張のやや軽減されたことにほっと一息ついた。鏡の前で頭髪を整えながら、顔はいくぶん蒼白《そうはく》気味であるが、目は割合と鋭く、迫力もある、と思ったりする。よし、ここまできたらなるようになれと諦《あきら》めて、バンドを締め直し、教科書を左の小脇《こわき》に部屋を出た。

諦めると少しは度胸が坐《すわ》ったらしく、廊下を歩きながら、得意の「王将」などが口から出てくる。そうだ、この調子だ、と思ったものの、向うの角を曲がって来る金髪の女子学生が見えたのでただちに歌は中止。目差す教室であるCR. 1―7に着くには一分もかからないから、このままでは学生より先に着いてしまう。それでは威厳は保てまいと考え、少し遠回りして数学科のオフィスに立ち寄ることにする。いつも陽気なブラジル系美人の秘書サンディと冗談の一つも交せばちょうどよい時間になるだろう。

オフィスを出るとロビーは教室を移り変える学生たちで、ごった返していた。自分より図体《ずうたい》の大きいのが多いが、どうせ喧嘩《けんか》は弱いに違いないと思ったり、強そうなのを見ると、頭は弱いはずだ、などと思ったりしながら、群衆をぬって歩いた。前もって午前中に下見しておいたCR. 1—7はすぐそこだ。開かれたドアからそれとなく覗《のぞ》くと、定刻だというのにまだ立っている者などがいてざわついている。教授たるもの、やはり、全員着席し、水を打ったような静寂の中をゴホンと咳払《せきばら》いと共に入場すべきだ。とっさにそう閃《ひらめ》いたので、そのまま教室の前を何食わぬ顔で素通りし、建物の内部を一周することにした。

一周して帰って見ると、ドアから出入りする者はいないし、静かになっているようだ。いよいよと思うと、喉《のど》がカラカラに乾いていることに気づき、廊下の水飲みに寄って、冷水を一飲みした。いくら湿度一〇パーセントそこそこという異常乾燥のコロラドであっても、乾き切ったノドでは学生に緊張を見破られ、ひいては侮られることになる。

さあ入室せねばならぬ。入室直前に、

「よし、バカヤロウどもをなめてやろう」

と、無理矢理に自分に言い聞かせた。

猫背を垂直にし、堂々と胸を張り、満場の注目を一身に浴びて入場した。と思ったのだが、実は、五、六人の学生が、チラと一瞥《いちべつ》しただけで、誰も注目しようとしない。拍子抜けとはこのことだ。

瞬間、なめられた、と感じ、焦《あせ》りを覚えた。黒板の前にある教卓の上に教科書を思い切りドスンと置いても、まだ三十人程度の学生のうち十人ほどしか気が付かない。気が付いても無視して、また、机に向かって何かし始める。よしこうなったら全員が我輩を注目するまで、黙って立ち続けようと覚悟した。礼儀をわきまえぬ奴らは、甘やかすと癖になる。とは言っても、実際は、注目させるのに何と言っていいのか分らなくて困り果てていたのだ。

Attention please では国際空港みたいだし、Please look at me ではピエロか見せ物だし、Listen please では哀願的すぎる。

しかし、ものの数秒とたたぬうちに、次々に何人かが顔を上げて注目し始めた。

よし、好い調子だ、と思ったが、よく見ると、彼らの目はまだ「どこの東洋の馬の骨だか知らないが、黒板の前に何で立ってやがるんだ」的な目だ。

アパートの下階に住むある奥さんに、大学で数学を勉強していると言ったら、それでは一年生ですか、と問われたのを思い出し、一瞬、イヤな気になる。日本人は年齢より若く見えて、時には有利なのだが、今日は明らかに不利だ。

しかし、立っているというのは、坐っている連中に対して何と優位な位置であることか。彼らの頭上一メートルから見下ろしているというだけの物理的状態がただちに、自分と彼らとの間に一種の主従関係みたいなものを築き上げていたのだ。

こうなれば簡単だ。後は何を言ってもよい。

まず、心理的優勢をなるべく早く固定するために、

「これは Math. 240 の SECTION 10 の教室ですね」

と、ごく事務的に最前列に坐っている色白の男（いや、当り前だ、皆白人だったのだから）に話しかけた。もちろん、そうだ、と答えたわけであるがまだ尊敬の念が目にこもっていない。あれは、授業が急に中止になったことを伝えに来たアルバイトの学生に対する目つきだ。「畜生！」と思ったが、全員の注目を集めることには完全に成功したので、一応委細構わず始めることにする。

「私が、今学期、Math. 240 を教える、藤原正彦です」

と言って、黒板の真中に名前を大きく、むろん漢字で書くと、皆がどっと笑ったの

で初めてホッとした。

思っていた通り、アメリカ人は単純なのだ。それから日本人であることを明らかにし、簡単な自己紹介を行なった。最後に、

「英語が聞きとりにくいかも知れないが、分らなかったらいつでも質問して下さい」

と、ややへりくだって言ったら、右手に長い脚を組んで坐っていた金髪の女子学生がニコニコしながら、間髪を入れずに、

「You are doing fine.」

と、言ってくれた。

絶好のタイミングだ。しかも、可愛い。思わず赤面しそうになった。三十近くにもなって、こんなことで赤くなったりしたら日本人の恥と思い直し、顔を見られないように急いで黒板に向かい、「第一章　無限級数」と書いてごまかした。

学生の視線を背中に感じつつ、次に進もうと考えていたら、ふと、出席を取り忘れていたことに気づいた。昔から、急ぐと必ず何か忘れることになっていたのだが、とにかく気が付いてよかった。コロラド大学では、最初の授業と、その二週間後に二度出席を取って、その結果を事務室に報告することになっていたのだ。出席取りは、学生の姓名の正確な発音を知るのに大変良い機会であると同時に、初対面のギコチナサ

を除去する絶好のチャンスでもある。

アメリカ人の姓などというのは、Brown, Smith, Jones, ……とか決まり切ったものしかあるまいとタカをくっていたのだが、リストを読み出して驚いた。聞いたこと、見たことのある名前は半分もなく、そのうえ、その発音がすこぶる面倒ときている。正確に言うと、名の方はまだよいのだが、姓の方が手に負えない。ちょっと考えてみれば、アメリカは人種のるつぼとさえ言われる国なのだから当然なのだが。特に、ポーランド系、チェコ系、ハンガリー系など東ヨーロッパ勢のそれは、大変読み辛《づら》く、発音しにくい。何度も聞き直してはその通りに発音しようとする。しかしどうにもうまく行かず、結局は困り果てるわけだが、その頃までには向うも諦めて、大概、「Something like that」などと言ってくれる。そのうえ、ミドルネームまであるから、苦労は倍加する。もっとも、中にはディーン・マーティンとか、トム・ジョーンズなどという、どこかで聞いたことのある名前も混じっていて、冷やかしながら一休みすることができるのだが。

姓の複雑さに比べて名の単純さは対照的だ。男性では、Thomas, William, Richard, Michael, John, James, Charles, …… など。女性では Patricia, Carol, Katherine, Sandra, Janet, Deborah, Jane ……などと二十ずつも挙げれば名前全体

の九五パーセントはカバーされると思われる。

しかし、名前がいくら簡単だと言っても、通常、それぞれのいわゆるニックネームが用いられるので、それも一緒に覚える必要があり、厄介だ。例えば、男ではThomas は Tom, William は Bill, Richard が Dick で Michael が Mike となり、女では: Patricia が Patty または Pat, Katherine が Kathy, Sandra が Sandy, Deborah が Debbie などとなる。ニックネームと日本語の愛称とは少し違うところがある。

例えば、SLA誘拐《ゆうかい》事件の女性テロリスト Patricia Hearst をさえ、新聞やテレビでは、Patty Hearst と呼んでいる。会話では、まず常に、この愛称が用いられる。会話において Patricia という名がそのまま使われることがあるとすれば、親が Patricia という名の娘を真剣に懲戒する時くらいのものであろう。

「Patricia, this is the last warning. Put it away, right now.」（パトリシア、これが最後の警告よ。今すぐにそれを片づけなさい）

と言ったり、時には、わざとていねいにミドルネームまで付け加えて、

「Jay Robert, cool it! Stop goofing around!」（ジェイ・ロバート、調子に乗って遊び回るのは止《や》めなさい）

などと使われる。

名前のことが少し長くなったが、それが大変重要なことだからである。アメリカにおいて対人関係を円滑に進めるためにはほとんど不可欠の要素であると言ってよい。例えば、金のあまりない男が、Patricia 嬢をどこかのレストランに誘いたい時は、次のように電話で言うことになるであろう。

「今晩はパティ。パティ、今日友達と凄《すご》くうまいピザ屋に行ったんだけど、きっと君も好きになると思うよパティ。週末のいつか暇だったら、一緒に行かないかパティ」

愛称をできるだけ頻繁《ひんぱん》に会話に入れるのだ。それが、英語という曖昧《あいまい》さのきわめて少ない論理的言語、そこにある一種の冷たさと言ったものを中和する働きをするのであろう。

これは、教授、学生間の会話においても必要なテクニックであり、学生は教授を愛称で呼び、教授も学生に対して然《しか》りということになる。

アメリカに行って間もない頃、廊下で学生が教授に「やあ、今日はビル」などと言っているのを初めて聞いた時はびっくりしたが、慣れるに従って愛称の使用がほほえましく、また、師と弟という主従関係を転じて一種の家族関係のごときものに変える力さえあると思うようになった。しかし、たまには愛称で呼ばれるのを嫌う人間がいるから注意が肝腎《かんじん》だ。同僚のチャールズはチャックと呼ばれるのがどういうわけか大嫌いで、私もそう呼ばぬように気を使っていたのだが、それを知りながらわざとチャックと呼んで面白がっていたハイタワーという男がいた。昼食の時などチャールズの迷惑そうな顔とハイタワーのいたずらな顔を大いに楽しませてもらった。

というわけで、学生は最初の授業の時に、教授に何と呼ぶべきか聞くのが普通である。学生にこの質問をされた時は少々弱った。日本にはもちろん、こういう意味の愛称などというものはないし、学生にマサヒコなどと呼ばれれば、お袋に叱《しか》られたような気分になってイヤだ。仕方がないので、「何でもよい」と言ったら、マサヒコでは難かしすぎると思ってか、「何か愛称はないのですか」と、食い下がる。面倒臭くなって、

「マサヒコでもいいし、マサでもいいし、フジワラでもフジでもいい。覚えられなければヘイとでも呼べば分る」

と、言ってやったら、また、どっと笑った。

この頃までには、全員が打ち融《と》けてきていて、まずは成功と内心思ったりした。こう思うと、気持もかなり落ち着いて、十分ほど前のあの緊張はどこへやら、出席を取りながら、先ほど、英語を誉《ほ》めてくれた可愛《かわい》い娘がパトリシア・ミラー嬢であること

まで確かめるずうずうしさ。

その日の彼女は、カットオフと呼ばれる、ジーンズを中途で引き裂いて作ったショートパンツをはいていた。まだ残暑厳しい九月の初めだったからだ。学生の服装は全く自由で、色とりどりのシャツやジーンズやスカートが入り乱れており、概して、日本の学生の服装に比べて色彩は華美で品質は質素だ。女子学生の約半数はノーブラだ。その時までにノーブラには慣れていたので、それにより心乱れるようなことは決してなかったが、やはり、心騒ぐことに変わりはない。彼らノーブラ女子学生の言い分は、「男子はしないし、私もしない」というきわめて単純明快な論理だ。もっとも、時々飛躍して、「ブラジャーは男性による女性蔑視《べっし》の歴史の象徴であり、それを着用することは、女性が自らを男性の玩具《がんぐ》かつ奴隷《どれい》としての地位に定着化することである」などと、言う学生もいる。まあ、こちらにとっては理屈はどうでもよく、ただ、「見ざるがごとく見る」のみ。全く注目しないのも一種の侮辱になるという説もあるから、この意味では私の態度はすこぶる礼儀正しいと言えるであろう。

授業における第一日というのは、単なる一日目ではないようだ。きわめて多くの事柄がこの一日に決まり、四ヶ月にわたる学期中変わることがほとんどない。夫婦における新婚旅行みたいなものかも知れない。

例えば、座席がそうである。日本でも同様だが、大学においては学生の座席は決まっておらず、各人が好きな場所を陣取ることになるのだが、その位置が学期を通じて初日に坐《すわ》った場所とほとんど変わらないのだ。これは非常に面白い現象と言えるであろう。

一般的に言って、出来のよい学生は前方に陣取り、出来の悪いのは後方に坐る。特に、後方で、かつ出口に近い側に坐っているのはほぼ確実にダメな奴《やつ》だ。こういうのはたいてい目がトロンとして生気なく、常に帰宅準備完了という面構《つらがま》えだ。もっとも、後方に坐っているのがすべてそうかと思うと間違いで、時には大物がその辺りで周囲を睥睨《へいげい》していることもある。同じ前方に坐っていても、正面寄りにいるのは素直に教授の言うことに従う真面目な学生で、端の方に坐っているのは反逆心旺盛《おうせい》な奴や、ひねくれたりふてくされているのが多い。

こうした傾向を知ることは、教師にとって時には重要なことである。というのは、単に教育上の見地からばかりでなく、例えば、少し授業時間を延長して証明を続けたい、などと願う時は前方正面の学生にＯＫかどうかを問えばいいし、週末の金曜日の授業をキャンセルしてスキーに行きたいと思っている時などは、後方の隅にいる連中に聞けばただちにＯＫの返事が返って来るからだ。

ともあれ、出席をとり終えれば、あとは無限級数の話をすればよいわけで、これは数学であるから万国共通であり、どう転んでも恥のかきようもないものだ。そう思うと自信が湧《わ》いてきたし、その自信が表情に現われ、言葉に現われたので学生も信頼して私の言うことに耳を傾けているようだった。若い教師は自信が絶対に必要だ。これさえあれば、内容はお粗末でも学生を引き付けることが出来る。逆に、いかに高邁《こうまい》な思想と深遠な哲学に身を固めていても、自信がなくては学生は信頼して従《つ》いて来ない。

静まり返った教室に必死でノートする音だけが心地よくサラサラと聞こえる。自分の言うことがノートされているのを見ることは快楽の一つと言えるであろう。しばしの間、完全な優越感に浸ることが出来る。

優越感は健康に良い。なぜか、ザマー見ろと思った。学生の理解度を計るため、簡単な問題を一つ与えた。これはアメリカでクイズと呼ばれるもので、与えられた問題を五分ないし十分の制限時間で解くことになっている。皆頭をひねってノートに何やら書いている。この頃になってやっと普段の冷静さを取り戻したらしく、教室には一つの窓もないこと、余分の机が一つもなく完全に満席であることなどに気が付いた。

何となく息苦しく感じたので、ドアを開け放したまま廊下に出てみると、そこは先ほどの雑踏とは打って変わった静けさだった。

青緑のケンタッキー芝を敷きつめた中庭の、中央にある噴水から飛び散る水滴が高原の夏の強烈な太陽にキラキラと光り輝いていた。水滴の位置により輝き方が微妙に異なるのが興味深い。後方の霧状の部分には小さな虹《にじ》らしきものさえ見えている。その虹が水勢の変化やそよ風の強弱によりなだらかに揺れ動く様にしばらくの間、見とれていた。

ふと、こんな気持になったのは久し振りだ、と思った。

教室に戻ってみると、まだ皆、クイズに取り組んでいるようだった。頭をかいたり、鉛筆をなめたり爪《つめ》をかじったり、鼻をほったりしている様は日本と同じだ。易《やさ》しいと思って出した問題だが、なかなか解けそうにない。こんな連中を相手にどうして我輩の父・祖父が戦争して負けたのかと不思議がっていたら、一人、顔を上げたのがいた。見ると、それが先ほどのミラー嬢だった。目が合うと嬉《うれ》しそうにニコッと微笑《ほほえ》んだ。思わず鼻の下を長くして二倍ほどニコニコと微笑み返した。上顎《うわあご》の全歯茎がだらしなく露出していたに違いない。なるほど、戦争に負けたはずだと納得した。

半数ほどの者が解き終るのを待ってから、学生の気づかないような解答を黒板で解説してやった。連中は、大体において猪突《ちょとつ》猛進的な考えしか出来ないから、ちょっと頭をひねればある種の問題では名答を見つけるのは簡単なことだ。もちろん、種を明かせば、そういった類《たぐ》いの問題をクイズのためにあらかじめとっておくのだが。

この程度の名答で単純な学生たちは教師を尊敬してくれたりするものなのだ。

時計を見ると時間までまだ十分ほどある。しかし、初日だからこの辺で止めてもよかろう、やれやれ、これでやっと首尾よく一日目を終えたと感じつつ、帰り支度を整え始めると、誰かが、

「先生」

と言う。声の方を向くと、前から二列目に坐っている強度の近視眼鏡をかけた真面目《まじめ》そうな男子学生が、

「宿題はどうなっているのですか」

と聞いてきた。

宿題なるもの、我が日本では小、中学校および高等学校では出された記憶があるが、大学ではとんと覚えがない。大学で宿題を出さないのは、大学生ともなれば自主的に勉強する能力を持っていると考えられているからだ。大学は宿題とは無関係だと今まで信じていたので、不意をつかれてキョトンとしたまま、

「何？」

と聞き返した。

「宿題のことです」

「宿題がどうした？」

「宿題をくれないのですか？」

「宿題を君は欲しいのか？」

「はい」

世の中変わった奴もいるわいと思いながら、

「皆、宿題が欲しいのですか？」

と念を押したら、てんでに、ほとんどの者が、

「ハイ」

と言ったので驚いた。

昔、あれほど忌《い》み嫌い憎んだ宿題をこの連中は要求しているのだ。我が耳を疑いつつ、

「他の教授もそんなことをするのですか」

と聞くと、

「もちろんです」

「なぜって、宿題を解くことにより、重要事項のより深い理解が得られると思いますから」

「自分で勝手に教科書にある問題を解いたら同じことになりませんか？」

「いえ、先生の方が我々より内容をよく理解しているから、良い問題を選べると思います。すべての問題を解く余裕はないのですから」

この頃になると、一人だけでなく皆が勝手に、いろいろのことを言い出した。それぞれに理由を言ってるらしい。

全員が宿題を要求していることが分ったので、騒ぎを静めるために、

「よしよし、分った」

と、言ったのだが、内心、大学生にもなって自主的に勉強できないとは何たること、甘えるのも好《い》い加減にしろと思い、内内心では、やれやれ、どうせ出来の悪いに決まっている宿題の添削採点を何時間もかけてしなければならない俺のことはどうしてくれるんだ、と情けない気持。

「それでは、ご要望に答えて、たくさん、どっさり宿題を差し上げます。多分皆様に

ご満足して頂けると思いますが」

と皮肉たっぷりに言ったら、また、何やらざわざわする。世話の焼けることよとやや諦《あきら》め気味に、三十題ほどある節末の問題から適当に難易とり混ぜて、

「一番、五番、七番、十三番、十九番」

と読み上げた。

と、しばらくして、さっきの眼鏡の男が、

「先生、奇数番の問題は本の終りに解答が載っているのですが」

とニヤニヤしながら言った。その口許《くちもと》が変にゆがんでイヤラシク、眼鏡の奥の目が侮《あなど》りの色を帯びていたので、ややカッときて、

「それがどうしてまずい」

と聞き返すと、

「いや、別にまずいとは言いませんでした。かえって好都合なくらいです」

と答える。イヤな奴だ。こんな野郎に好都合な思いをさせてはならじと思い直し、

「いや、やはり別の問題に変えよう。君たちのためにね」

と、ひとまず恩に着せてから、また、問題を選び始める。

「では、二番、七番、八番、九番、十番、十六番……」

とまで言いかけると、再び眼鏡野郎がニコニコしながら、

「そこは七番から十番までと言われた方が分りやすいのですが」

と言う。

「大した違いはないと信ずるが、まあ君の好きなように言うことにしよう。二番、七番から十番まで、十六番」

と言い直す。少しバカバカしくなってきたので、すぐ後を続けて、

「二十二番、および二十七番から二十八番まで。以上」

と言って胸を張ったら、皆、口を開いてバカ笑いした。

さて、これで帰れるかと思ったら、今度は、左端に坐っていた一見ヒッピー風の女子学生が、

「いつまでに提出するのですか？」

と言う。これはもっともな質問だ。

「毎週月曜日の授業の時に出して下さい。水曜には採点されたものを返せると思います。ただし、今日の分は、日数の都合により、九月七日の水曜日に出して下さい」

と言うと、

「複雑で分りにくいから黒板に書いてくれませんか」

と頼む。仕方がないので世話が焼けるわいと思いながら、

“Homeworks due on Mondays, returned on Wednesdays, Today's one due on Sep.7(水)”

と書くと、皆それを写していたが、数秒ほどした時、またまた、例の眼鏡が、

「最後の字が読みにくいのですが」

と、眉間《みけん》に皺《しわ》を寄せ眼鏡の奥の細い目をいっそう細めて黒板の字を凝視している。英語の綴《つづ》りにかけてはたいていのアメリカ人よりは上と自負しているくらいで間違うはずがないし、読み直しても割合きちんと書かれているのだが質問者が眼鏡野郎であるだけに悪い予感がして、

「何、どこ、最後？」

と問うと、

「ええ、最後のカッコみたいなものの中は何と読むのですか」

と食い下がる。よく見ると、何と漢字で「水」と書かれているではないか。なるほどこれではアメリカ人には難解すぎる。心中全く狼狽《ろうばい》した。狼狽振りを見せると図に乗るので努めて平静を装い、

「これは日本語であり、英語の Wednesday を意味する」

と、真面目くさって言ったつもりだが、学生たちは大笑いしていたようだったから、自分も多分、苦笑いぐらいはしていたに違いない。曜日だけの時は間違わないのだが、月日の直後に曜日を付ける時はなぜか必ず漢字を用いてしまうという癖は、三年間のアメリカ滞在の間、ついに直すことが出来なかった。もっとも二度目からは、学生の方から、「先生、あのカッコの中は何曜日でしたっけ」などとからかわれていたようだったが。

さて、もう帰らせてくれるかなと思ったとたん、今度は例のお気に入りのミラー嬢が、

「先生の研究室はどこですか。質問があった場合に伺いたいのですが」

と言う。これはとても良い質問だ。極度に良い。問われなくともこちらから教えたいくらいだ。女子学生の質問は常に良い。本質的であり、核心を衝《つ》いている。彼女が研究室に質問に来るかも知れないことを考えると、自然に頬がゆるみがちになる。しかし、ここが大切な正念場なのである。嬉しくともさりげない顔をし、毎日来てなるべく長時間いてもらいたくとも、さも研究時間の減少を気遣うがごとくに振舞わなければ教授としての威厳を保つことは出来ないし、ひいては若いだけにバカにされるもとにさえなる。

「OT—43です。そう、エレベーターを三階で降りればすぐです」

と、ごく事務的に答えた。ミラー嬢はそれをノートに書き写している。間違わないよう写してくれと心の中で祈る。となりのOT—42は禿頭《はげあたま》のファッショ教授の室だし、一字違いのST—43はどう見ても自分より数段モテそうな男たちがワンサといる大学院学生たちの共同研究室なのだ。

皆が書き終えるのを待って、念の為《ため》、

「もう質問はありませんか？」

と、言ったら、誰かが、

「電話はありますか」

と、聞いてきた。

「ああ、そうそう、内線の六六二五です。自宅は四四三—六一一一です」

と、サービスに自宅の電話番号まで教えてやった。サービスと言ったのは、普通、教授は学生に自宅電話を教えないからだ。

同僚のイーストン教授はまだ若く、ウィスコンシン大学で教えていた頃、一人の女子学生に最終成績としてDを与えた。アメリカでの成績評価は五段階で、Aが一番良く、B、C、Dと順に悪くなり、Fがfailすなわち落第となっている。Dを与えたのは、彼女の出席が実に悪く、試験の出来もひどかったからだ。彼女が言うには、家庭が貧困のため、金銭的援助は皆無であり、生活および学資はすべて自分のアルバイトと奨学金で支えている。しかるに、学期の初めの頃、アルバイト先で妻子あるボスとの間にある関係が生じ、先方の家族と会社と学業の間の板ばさみとなり、長い間ノイローゼ気味で、授業にもあまり出席できなかった。非常に残念でかつ申し訳なく思っている。しかし、自分は十分に考えた末、学業をとることを決心したのであり、必要な奨学金を継続して貰《もら》うにはD以下は一つでも取ってはならない規則になっている。先学期までは、A、B以外は取ったことはなく、今回はBとは言わないが、せめてCにして頂きたい。たった一つのDが私の人生を目茶苦茶にしてしまうことになる。というようなことを、イーストン教授に涙ながらに懇願したのであった。

もし、私であったなら、ああなるほど、それはかわいそうだ、DをCに一つ変えてやっても誰の懐が痛むでもない、変えてやろう、ともう目に涙でもためながら、浪花《なにわ》節《ぶし》的に解決してしまったであろう。

しかし、彼は他のアメリカ人教授と同様、このようなことに関してきわめてタフ、かつ頑固であり、絶対に首を縦に振ろうとしなかったのだ。理由は単純で、公平に採点評価した結果Dとなったので、Dを与えた。彼女にCを与えたら、他の全員に対して不公平になるであろう、と言うのだ。また、彼は、このような学生の供述がしばしば作り上げられた嘘《うそ》であることを経験から知っていた。

前置きが長くなったが、要点は、その日の午前三時に彼は電話でたたき起こされ、さて何事かと、おっかなびっくり出てみると、受話器の向うでラジオの音が鳴るばかり。ハローと言っても何を言っても応答なし。次の日も同時刻に同じことが起こったため、さてはあの学生に違いないと分ったが、どうすることも出来ない。新婚の奥さんからはブーブー言われるしで困り果てた教授は、余分の毛布を全部運んできて、毎夜電話の上にかぶせて寝る始末。しかし、今日はくるか、いつくるか、などと考えていては眠れるわけはなく、深刻な睡眠不足に陥った。このような電話がちょうど一週間続いたそうである。

というわけで、教授が学生に電話を教えたがらない理由が分って頂けたと思うが、実はこの話はかなり後になって聞いた話で、その時は知らなかったから、いとも簡単に教えてしまったのだ。誰かが、

「自宅のは良い番号ですね」

と、言うので、

「いや、それほどでも」

と、嬉《うれ》しそうに頭をかきかき、

「でも実は、良すぎて困っている。デンバーにノーベル食品という卸しの食料品店があってその番号が四三三—六一一一なので、やたらに間違い電話が多く、ひどい時には一日数回に及ぶこともある。しかも、朝の七時前ぐっすり眠っている時に、どこかのレストランのおやじからピザ用のメリケン粉の注文が来たりするのだからね。全くあの時は頭に来て、怒鳴りつけてやりたかったけど、寝呆《ねぼ》けていて何を言ってよいか分らなかった。今でも残念だ。今度はあらかじめ呪《のろ》い文句を作文しておいて、電話に向かってがなりたててやるつもりだ」

と、言っておいた。

しゃべっているうちに、その朝のことを思い出して本当に腹が立ってきたらしく、興奮した口調でまくしたてたので学生たちは同情するよりむしろ面白がって笑っていた。後になって、こんな話をわざわざしゃべる必要はなかったのにと悔むことになったのだが。

というのは、それから一ヶ月ほどしたある早朝、電話でたたき起こされ、受話器に耳を当てると、

「ノーベル食品ですか、……」

と、向うで言っている。瞬間的にはらわたが煮えくり返り、とっておきの呪い文句、「こちら死体処理屋ですが、火葬にしましょうか、土葬がよいですか。それとも、いっそミイラにしてもよいし、なんなら生きたままセメント漬けしてもよいのですが」と、言いかけて思い止《とど》まった。向うの声が何となく笑いを押し殺しているようだったのに気づいたのだ。これは学生の仕業かもしれぬ、ととっさに疑った。下手に呪い文句を口走ったりしたら、翌日、黒板にそのままそれを大書される怖《おそ》れもあると思い、その手は食わぬとばかり、黙って電話を切ってしまった。

それ以後、そういった悪戯《いたずら》電話はなかったが、間違い電話で起こされるたびに、今度も、もしかしたら学生の陰謀かもしれないと思うようになって、ついに折角の呪い文句の威力を試す機会を一度も得られなかった。それは今でも心残りだ。

さっと時計を見ると、既に時刻を過ぎていた。

「もう質問はないですね」

と、言い終えるより早く、数人の学生が帰りの準備をしているので、

「ではまた来週」

とだけ言って、教室を出た。

なかなか良い学生たちだ。反応もまあ鋭いし、可愛《かわい》い娘も何人かいる。学力の方も

まあまあだし、笑ってくれるので授業をしやすい。生意気なのも少しはいるが、考え方によっては、可愛いと思えないこともない。などと考えながら、初日の授業を一応成功させた満足感を快い疲労の身体に感じつつ、もと来た廊下をやはり学生の群衆にもまれつつ歩き出した。講義前にカラカラだった喉《のど》が、一時間しゃべり続けた後では別に乾いているように感じられないのも現金なものだ。

ふと、噴水の虹《にじ》を見ようと窓に目を向けたが、大きな学生たちの陰でよく見えなかった。

実際、もうどうでもよいと思っていた。

7　ストラトフォード・パーク・アパートメント

私はまたたく間に、アパート中の子供の友達になった。
（ハローウィーンに著者の部屋を訪れた子供たち）

一九七三年の夏にミシガンからコロラドに移って、一つのうれしい変化が起きた。それは、子供、ペット類禁止であったアナーバーの高層アパート、タワープラザに比べ、ボウルダーで私の入った三階建アパートには大勢の子供たちがいたことである。それはストラトフォード・パーク・アパートメントという長い名の、町はずれにあるかなり大きなアパートで、AからNまでのアルファベットをふられた、全部で十三個からなる三階建の棟が、順序よく大きな円を描くように並んでいた。AからNまでには十四のアルファベットが含まれているのに、十三個と言った訳は、Iが数字の1と見誤りやすいので使われておらず、H棟の次はJ棟となっていたからだ。

この大きな、直径一〇〇メートル以上もある円の内側には、アパートの赤茶色の建物に沿って広い芝生の庭があり、そのさらに内側には、オニール・サークルという、アパート所有者オニール氏の名をとった道路がやはり円を描いて一周している。その内側、つまり、大きな円の中心部には、芝生に囲まれた温水プール、遊園地およびパーティハウスなどが設けられていた。パーティハウスというのは、アパート居住者がやや大きめのパーティを開きたいと思う時に使えるよう設計されていて、キチン、ソファ、テーブルなどが備え付けてあり、地階には、更衣室、シャワー室、サウナ風呂《ぶろ》およびウェイト・トレーニング室などがあった。各棟の間には、ゆったりしたスペースがとってあり、各戸につき二台までの車が駐車できるよう計算されていた。

私は31Jという所に住んでいた。31Jというのは、Jという棟の三階の一号室という意味である。アナーバーで、高層ビルアパートの持つ冷たさといったものにうんざりしていた私は、今度は、少しでも土に近い所に住んでみたいと思っていた。

子供の頃、信州の農家にあずけられていたことのあるせいか、もともと人一倍、土に対する親近感を持っていたのだが、それがアナーバーでの一年の間に、ある種の憧《あこが》れにまで変質していたらしく、今度は何が何でも芝生つきのアパートに住もうと決心していたのだ。このアパートに住みついた当初、十四階に比べて三階がいかに地面に近いか、と当り前のことによく感激したものである。夏などには、風向きによっては三階まで昇ってくる芝の匂《にお》いが、田舎の田の畦道《あぜみち》で嗅《か》いだ草いきれを思い出させてくれたこともあった。

三階を選んだのは、最上階であるから天井からの物音に悩まされることがあるまいと思ったからである。また、西にロッキーの山々を眺めたかったので西向きの部屋を選んだ、というのが最上階西向きに決まったもっともらしい理由であるが、実は、他にもう一つの理由があった。

アパート捜しをしたのは八月中旬のまことに暑い日で、摂氏にして三五度もあった。ボウルダーはロッキー山脈の東斜面に位置しており、mile high city（海抜が一マイル＝約一六〇〇メートルある町）と呼ばれているデンバーの北西隣にある。ミシガンの冬は厳しかったが夏の蒸し暑さもかなりのものだったから、そこを出る時、ボウルダーでの高原の涼しさを大いに期待していた。それだけにその暑さは余計にこたえた。だから、風の涼しそうなアパートに目標を絞って捜した。このアパートを見に来た時、吹き出る汗をぬぐいながら、開口一番、

「ボウルダーでは普段どちらから風が吹くのですか」

と、アパートのマネージャーに聞いたのも無理はない。

「常に西風です、この地では」

「それでは、風のよく通る西向きの部屋を見せて下さい」

そして通されたのが西向き三階の、いかにも風通しの良さそうな31Ｊだったわけで、ダブルベッドが床から少し高すぎることを除いては、大体気に入ったからすぐさま入居した。これが、ここに入居したもう一つの理由だった。ベッドの高さを気にしたのは、高いと落ちた時に危険だからだ。ベッドに慣れていなかった私は、アメリカに来

てから既に何度も転げ落ちていた。一度などは夜中に落ちたことに気づかず、翌朝目覚めて見ると床に寝ていて驚いたことがある。毛布をかぶっていたところをみると、毛布を摑《つか》んだまま落下したらしい。

この部屋が、確かに風通しのよい部屋であることが判明したのは、暑い夏の間ではなく、既に肌寒い秋になってからのことだった。十一月のある日、夜半になってふと異様な物音に目を覚ました。窓のしなう音、と言うよりむしろ建物全体のしなうような音だ。強風、突風の類《たぐ》いにちがいない。台風かもしれないとまず思ったが、アメリカに台風がくるというのは初耳だし、第一、台風には雨がつきものだ。何事か確かめようとベッドから起き出して、窓に寄り添いカーテンの外を見ると雨は降っておらず、水銀灯に白く照らされた紙切れが、芝生やプールの上を急上昇急降下を繰り返しながら狂ったように舞っている。道に沿って植えられた細い木々なども折れんばかりにしなっている。

しばらく様子をうかがっていたがとてもやみそうにない。台風より烈《はげ》しい風だ。夜も遅いせいか、どこのアパートの灯も既に消えている。誰もいないプールの水が不気味に波打っているのが手に取るように分る。もしも窓ガラスがこの風圧で壊れたりしたら、部屋全体が天井もろとも夜空に吸い上げられてしまいそうだ。そう思うと急に不安になり、窓ガラスを手のひらで恐る恐る押えてみる。風の強まる時には確かにガラスがしなっている。目でもそれがはっきり見える。窓の桟さえしなっている。

ハリケーンは南部諸州の専売特許だし、トルネードなる竜巻なら、ものの数秒のうちに吹き去るはずだ。どうにも原因が分らないので、ついには、分ってもしようがあるまいと居直り諦《あきら》めて、ベッドに戻り毛布をかぶって寝てしまうことに決めた。

しかし、三十秒に一度くらい、凄《すご》いのがくる。密閉された部屋のカーテンが微《かす》かに揺れ動くのは、しなった窓ガラスが室内空気の流動をもたらしているらしい。暖房装置の換気口から逆に風がはいり込んでくるのであろうか、何とも気味の悪い、炎の燃えさかるような音がする。ガスの口火の音らしい。眠っている間に口火が風で吹き消されたらどうしよう。ガス中毒で一巻の終りだ、と気になり始めた。ここでは天然ガスを使っていると聞いていたが、それが空気より重いのか軽いのか分らない。天然ガスの化学式さえ分ればと思うのだが、大学受験時代は遠い昔だ。空気より重いならベッドが高いだけにやや安全だろう。いやいくら高いといっても、天井までの高さの三分の一にもならないから、やはり天然ガスは空気より軽くなくてはならない。いや大体において、このベッドが中途半端《ちゅうとはんぱ》に出来ているのが悪い。高いなら高いで天井に近いほど高く、低いなら床のすぐ上ほどの低さであるべきなのだ。中途半端では、どちらに転んでも中毒死間違いなしだ。だんだん支離滅裂なことを考えるようになってきた。

そうかと言ってこの強風では、換気のために窓を開けることは寸分たりとも出来ない。暖房装置のある所に行って中をのぞきこんだり、くんくんと犬のように辺りの臭《にお》いを嗅ぎ回ったりする。アパートのマネージャーに口火が消えた時の安全性を問うには時間が遅すぎる。今のところ口火は見えているし、別に臭くもないので、またベッドにもぐり込み、怖《おそ》ろしい風の音とガスの恐怖に身を縮めながらも、ウトウトしだす。

こんなことを繰り返すうちに、明け方近くになってやっと風が静かになった。ほとんど眠れなかった。翌日は、何事もなかったかのような快晴だった。早速、ボウルダー・デイリーキャメラという新聞をアパートの前のスタンドで買って見ると、昨夜の風が時速一〇〇マイルに達し、市内の民家の屋根が吹き飛ばされたとか、中古車屋で数台の車が、飛んできた看板により損害をこうむったなどと出ていた。時速一〇〇マイルと言えば、換算すると秒速約四五メートルにあたり、日本では台風の時でもこれほどの風が吹くことは滅多にない。

この強風が結局は平均して月に二度ずつくらい、三月頃まで続いた。一度吹き始めると、大体三時間くらいは狂ったように吹き続ける。人の噂《うわさ》では、ボウルダーは世界でも二番目に風の強い町だそうだ。一番目はアフリカのどこかの山の頂上付近の町らしい。道理で〝風通しの良い部屋が欲しい〟と言った時、マネージャーがけげんそうな顔をしていたわけだ。どうせ〝へんな外人〟とでも思っていたのだろう。日本語の風はそのままだと普通、そよ風を意味していて、必要に応じて強風とか突風とか言い換えるのであるが、逆に英語では wind というのはそよ風ではなく、かなり強い風のことを意味しているらしい。そう言えば、そよ風には breeze という単語があるではないか、と思い出したが、もはや遅すぎる。

この風を除けば、このアパートはほぼ理想的だった。裏には三面の夜間照明付テニスコートがあったし、バスケットコートもあった。西には、四〇〇〇メートルを越すロッキーが四季を通して偉観を呈していた。夏には、そびえ立つ峰々が白雲を突き破り、雄々しく大空に対峙《たいじ》していた。冬の早朝などに、朝陽を稜線《りょうせん》に受けてピンクに染まる光景は、感動的ですらあった。

夕食後のしばらくの間、遊園地でブランコにのったりして時を過ごすのがいつの間にか習慣となっていた。私はブランコが昔から大好きだった。ブランコというのは、スベリ台とかシーソーなどと同類の子供用遊戯道具の一つにすぎないと思われるかも知れないが、私にとってそれは、常に他の遊戯道具とは本質的に違うものであった。スベリ台ほど忙しくないし、シーソーは自分一人では遊べない。一人でブランコにゆーらゆらり揺れているのは実に楽しい。特に春の宵などに、人を酔わせるような春風に身を任せながら揺れているのはロマンティックであり瞑想《めいそう》的でさえあり、時にはほのぼのとした懐《なつ》かしさとでもいうようなものを身体《からだ》全体に感じさせてくれる。

ある日の夕方、ブランコに坐《すわ》って砂場で遊んでいる子供たちを見るともなく見ていた。と、ふと、彼らが何をして遊んでいるのだろうか、日本の子供たちと同じことをしているのだろうか、という疑問が湧《わ》いてきた。早速、そこに歩いて行き、しばらく砂場の木枠《きわく》の上に立ったまま黙って見下ろしていた。そこには三人の子供がいて、一人は親分格の五歳くらいの男の子、一人がその子分らしき四歳くらいの男児、そして最後の一人が三歳くらいの女の子で、彼女は年上の二人に別段構ってもらえないのにつきまとっている。誰もが私を一瞥《いちべつ》しただけで無視して遊んでいる。ミニカーを砂の上に押して走らせては、そら橋だトンネルだ、などと声高に言い合っている。しばらく見ているうちに、親分がゲーリーで子分がノア、女の子がトレーシーであることがわかった。なおも数分ほど黙って見ていたら、やにわに親分のゲーリーが私に向かって、

「お前は目の邪魔だ」

と口許《くちもと》をとがらせ、恐《こわ》い目つきで怒鳴った。いくら五歳児とはいえ、真剣な表情なのでちょっと驚いたが、すぐ気を取り直し、からかってやろうと思い、

「何だって？」

と言うと、

「お前は目の邪魔なんだ、分ったか」

と言う。

「どうして？」

と、わざと困ったかのように問うと、

「とにかく邪魔なんだ、どこかに消え失《う》せてしまえ」

と目をむいて怒鳴りつけた。と同時に右手一杯に砂を摑《つか》むと、こちらに投げつけようと腕を振り上げる。ふざけて私が逃げ出すと、五メートルほど追ってから、

「今度来たら、ぶっとばすからな」

とまた睨《にら》みつけた。アメリカのガキは結構恐い顔をする、と感心しながら少し離れた所でなおも見ていると、子分のノアが、さすが親分、という風にゲーリーを感心して見ている。トレーシーはまだ赤ん坊に近いような三歳児なのに、

「そんな変なこと言うと、あの人怒ってあんたのこと逆にぶっとばすかも分らないわよ」

と、ゲーリーに世話を焼いている。ゲーリーは、

「なに、あんな奴《やつ》」

とうそぶく。トレーシーはペタンと砂場に坐ったまま、こちらを時々ちらっと見ては、

「でもあの人の方があんたより大きくて強そうよ」

と正直なことを言う。ゲーリーは、

「でもオレの方が強いんだ、あんな野郎より」

と歯をむいているが、さっきの勢いは少々衰えたようだ。ここぞと思ったので、

「そう、ゲーリーは僕より大きくて強いんだよね。どうかお願いだから僕のことぶっとばさないでね」

と哀願口調で言うと、勇気百倍のゲーリーは、

「そうだ、オレは大きくて強いんだ」

と叫ぶやいなや今度は両手に砂を摑み、追いかけて来た。私が大げさな身振りで逃げ出してブランコの所までくると、何を思ったか追うのを止《や》めて、

「今度来たら、本当にぶっとばすからな、唐変木!」

と大声で叫んだ。

ブランコに坐っているとふと、高崎山の猿を思い起こした。ボスも自分の勢力と権威を守るのは大変なことなんだなあ、と同情しながら揺れていた。しばらく三人を観察していると、白いスラックスをはいた年の頃三十歳くらいの女性が傍《そば》に歩いて来て、愛想よく、今日は、と言った。

「やあ今日は、僕デミアンです」

と私は簡単に自己紹介をした。

「私はパット。夕食の用意が出来たので子供を呼びに来たの」

彼女は微笑をたたえながらそう言った。子供というのはゲーリーのことかなと思い、

「あのゲーリーはお宅のお子さん?」

と聞くと、案の定、

「そう、何かしましたの」

ともう心配そうな顔をしている。

「いや、皆が遊んでいるところをちょっと見ていたら、じゃまだ、消え失せろ、と怒鳴られちゃいましてね」

と笑顔で言うと、

「まあ、そんなこと。どうもすみません、本当に。あとで十分叱《しか》っておきますから」

と申し訳なさそうに謝った。茶色の髪にいかにも奥様風のパーマをかけていて、胸もお尻《しり》もかなり大きい。脚も腕も相当にたくましく、首もウェストも丈夫そうだ。簡単に言えば全体的に太い。しかし顔立ちは美人の部類に属する。特に青い目がやさしい。

「いやいや、面白かったです。なにしろ子供が大好きですから。それにしても唐変木とは大したものですね」

と笑いながら言うと、こちらが怒っていないことがやっと分ったらしく、安心したように微笑《ほほえ》みながら、

「まあ困ったわ。そんなことも言ったんですか。テレビなんですよ。そういうのは全部テレビなんですよ」

と繰り返して言った。そして、現代アメリカのテレビがいかに子供に悪影響を与えているかについて講義してくれた後、カリフォルニアから一週間前に引越して来たこと。コロラドには一年滞在する予定であること。ご主人のボブは中学校の理科の先生をしていること。彼女はサンノゼ州立大学で体育教育学を専攻したこと。専攻は体育

だが本当は大変に哲学的な人間であること。などといったことを強調した。哲学的人間とはどういう人間なのかは今もって分らない。

数日後の夕方、やはりブランコに揺れながら、その時までに既に仲良しになっていたゲーリーたち子供の遊ぶところを見ていると、パットが出てきた。

「今日は、デミアン。引越して来たばかりの頃は子供にお友達がいなくてね。カリフォルニアで仲良しだったお友達にさよならしてきちゃったばかりだし、余計かわいそうだったわ。でも、ほんと、子供は早いわね。もう何人か友達見つけたみたい。ホッとしたわ。ゲーリーはもともと神経質な子だし……」

といきなりまくしたてた。

「そうですか。だからゲーリーはすぐ怒ったり泣いたりしてちょっと情緒不安定だったんですね。でもパット、あなたはいつも落ち着き払った風に見えますよ」

と感心したように言った。内心、八〇キロもあるかと思われる身体で落ち着いていなかったりしたら大変だ、と思っている。すると、

「ええ私はね。実はゲーリーは私たちの養子なの。ボブと結婚して五年もの間、私たちに子供が出来なかったので養子を捜していたら、ちょうど運良くあの子をもらうこ

とが出来たの。本当の父親は分らないし、母親もアル中で育てる意志がなかったから、産んですぐ貰《もら》い受けたというわけよ」

不意を衝《つ》かれて、私は少し動転した。それに、もしこんな話が傍で遊んでいるゲーリーに聞こえでもしたら大変だ。出来るだけ低く小さな声で、誰にも、特にゲーリーに気づかれぬよう、

「ゲーリー、ゲーリーはそのことを知っているのですか」

と聞くと、

「もちろん言ってあるわよ」

と涼しい顔で言う。

「日本ではたいていの場合、両親はそういったことを隠し通そうと努力しますが」と言うか騙《だま》すことでしょ。「アメリカでも、つい最近まではそうだったわ。でも結局は、それは嘘《うそ》をつく、と言うか騙すことでしょ。子供の頃から本当のことを全部言っておけば、大きくなって初めて知った時のようなショックはないし。それに何より、私たちの本当の子リサと全く平等に愛しているんだから、隠す必要なんて全然ないわ。ゲーリーを貰ってから私、すぐ妊娠しちゃってね、産まれたのがこのリサなの」

そう言ってニコッとしながら、隣で黙って我々の話を聞いたり、スベリ台のゲーリ

ーたちを見たりしていたリサの頭を撫《な》でた。

四歳のリサは赤いショートパンツをはき、金髪を二つの赤いリボンで留めていて天使のように可愛《かわい》い。しかしいくら四歳とはいっても、もう養子云々《うんぬん》の話は理解できるだろうし、万が一、リサがそんなことを言ってゲーリーをいじめたりしたらどうしよう、とこちらはまだ心配なのだが、パットはそんなことにはまるで無頓着だ。そして相変わらずの大声で、

「でも貰って本当に幸せだわ。ゲーリーは、ほら、あんなに可愛いし」

と言って、向うのゲーリーを愛情のこもった目で見やっている。向うではゲーリーがヤセギツネのような顔をして無心に遊んでいた。

少しプライバシーに立ち入りすぎはしまいかと懸念《けねん》しながらも好奇心を抑えることが出来ず、

「今、ゲーリーの生みの母はどうしているのですか？　ゲーリーに会いたいと思っているのですかね」

と問うと、

「サンフランシスコからシカゴに移ったという話を聞いたのが最後で、その後、どうしているのか、どう思っているのか知らないわ。知ろうとも思わないし。ただし、も

しゲーリーが十八歳になって、生みの母に会いたくなれば、或《あ》る場所に行けば彼女がどこにいるか調査して教えてくれることになっているのですけど」

と少しも感情を混じえずに淡々と言う。

このような、場合によっては、秘中の秘とも言うべき事柄を、知り合ってまだ数日の私に話すというあけっぴろげな態度にはまことに驚いた。確かにパットの言う通り、自分たちの本当の子供リサと全く同様に扱い、同等に愛してきているからこそ、何もかも事実のまま本人に知らすことができるのだろう。また、そうすることは、日本でこのような場合に見られる、ある種の悲劇的陰鬱《いんうつ》さとでも言うようなものをなくすことが出来るという点では、優れていると思えないでもない。しかし、いくらパットの意見を頭で理解することはできても、実際自分が彼女と同じ立場に立った時、全く同じ態度を取れるかどうか確信はない。最後まで真実を隠し続けようと思うかも知れない。日本には貰いっ子やままっ子にまつわる悲話は数え切れないほどあって、それらが自分の頭にこびりついていて離れてくれないのだ。そんな悲話をアメリカ映画で見たこともある。そこでは、両親の愛情に包まれて、幸福に育った姉妹の姉の方が、婚約直前という時に、留守番中ふと、二階にある両親の寝室の引出しに隠してあった自分の出生証明書を見てしまった。そして自分が実は貰い子であったことを知り、ショックで誰をも信用できなくなり、ついには家出してしまうといったストーリーであった。もちろんアメリカ映画であるからハッピーエンドだったのだろうが、どのように、ハッピーエンドになったかは忘れた。

とにかく、私の心の中には、ほとんど継子、継母＝悲劇とでも言うような等式が出来上がっていたらしく、パットの話は私にとってあまりに唐突なうえ、それが単なる語られた論理ではなく、現実に、目の前で実践されているという点でさらにショッキングであった。実際、パットの話を聞きながら、初めは、本気で言ってるのかと内心疑ったりしていた。しかし彼女の、熱弁を振るうでもない淡々とした調子がそれゆえに説得力を帯びてくるにつれ、自分が隠し持っていた絶対的タブーに公衆の面前で触れられているかのような、ある種の当惑感、あるいは羞恥心《しゅうちしん》のごときものに襲われていた。それは、私が長年持ち続けてきた観念、あるいは信念の崩れ去る直前にしばしば感ずる、不安感、焦燥感に似たものであった。

もし、貰い子、継子の問題が、パットの言うごとくかくも簡単に解決されるのなら、何故に長い歴史を通し、日本において、いやアメリカにおいてさえ、そのような悲話が存在し続けたのであろうか。こんな簡単な理屈がこれまで支配的だった考え方、習慣を一気に覆《くつがえ》してしまうのだろうか。それともパットの言うことは、既に昔から何度も試みられ失敗した方法にすぎないのであろうか。きわめて単純なアイデアが、長年にわたる難問を一挙に解決するということは、数学の世界でもしばしば見られるが、それは、痛快であると同時に、自分がそれに気づかなかったという点で非常に不愉快なことだ。パットの言葉を聞きながら、多少の不愉快さを感じていたのは、私がパットの正しいことを心のどこかで予感したからかも知れない。正しいかどうかはまだ分らないけれども。

さて、ゲーリー、リサを通して、またたく間に、二十〜三十人の子供たちと知り合いになった。年齢で言えば一番小さいのが三歳で最年長が十一歳だった。中には、夜の八時頃、私のアパートに一人で遊びに来た八歳のティナなどもいた。ある日の夕食後、テレビを見ながらくつろいでいると、ドアをノックしながら何か言っている女の子の声がする。誰かと思い開けてみると、黄色のシャツにショーツという出《い》で立《た》ちの明るい金髪のティナが私を見上げて立っていた。彼女は階段をかけ上がって来たらしく、激しい息づかいで、

「今日はデミアン。やっとわかったわ、この部屋だということ。ねえ、ひまだったら一緒に遊ばない」

と着ているシャツと同じくらいに黄色い声で言った。我輩もついに八歳の女の子に誘われるところまで落ちぶれたか、と思いながらも、

「もちろんさ、ティナ」

と元気良く言うと、ティナはいかにも嬉《うれ》しそうだ。相手が八歳の子供では部屋の中ではすることもないから、外に出てブランコにでも乗ることにした。ブランコは一人で乗っても二人で乗っても楽しい。室内ではいつも日本式に裸足《はだし》でいたから、急いでソックスと靴をはきながら、

「ママどうしたの、ティナ」

と聞くと、

「ママはね、まだお勤めから帰って来ないの。もうそろそろなんだけど。レストランで働いているんだけど、日によって遅くなるの」

と答えた。

「それじゃ、そんな日はパパとティナは、おなか空《す》かせて待ってるの？」

「ううん、パパはいないの今。トラックの運転してアメリカ中走り回っているんだから。パパ大好き。あたしも大きくなったらパパみたいにトラックの運転手になって、こっちの州からあっちの州へとかっこ良く走り回りたいわ。でも、パパ一週間に一度

くらいしか帰ってこないからさみしいの」

と顔を少し曇らせた。そう言えば週に一度くらい、ティナのアパートの前に大きな運送用トラックの前半分だけが止まっていること、母親はオレンジ色のフォルクスワーゲンに乗って昼すぎに仕事に出かけるが、かなり濃い化粧をしていて、一見してとてもレストランのウェイトレスとは思えなかったことなどが思い出された。

ブランコに並んで坐《すわ》ってゆっくり揺れながら、

「もう、ごはんは済ませたの？」

と尋ねると、

「まだなの、少しおなかは減ったけど慣れているから何ともないわ。でも、今日はママ遅いなあ」

と通りの方に目をやる。ジーンズのポケットに残っていた一枚のガムを取り出し、

「好き？」

と聞くと、

「うん」

とうなずきながら手を出した。開いた手のひらにそれを置いてやると、

「ありがとう。でもこれ最後の一枚？」

「うん、あいにくね」

「それじゃ半分あげるわ」

そう言ってティナは半分にちぎったガムの片方を私にくれる。

「ありがとうティナ。君はやさしいなあ」

と言うと、

「うん、そうよ」

と嬉しそうに、もうガムを口の中でもぐもぐさせている。

「そうだデミアン、おんぶしてこのオニール・サークルを一周してくれない。ねえ、お願いデミアーン」

とティナはだしぬけに言った。少し驚いたが、まあ今日は運動不足だったし、夕食のビフテキも大きかったから、腹ごなしには悪くないだろうと思い、

「よし、一周だけだよ」

と念を押してから腰を屈《かが》めると、もうピョンと飛び乗っている。人をおんぶするのは、高校生の頃サッカー部の合宿で、足腰強化のためとか言われ上級生を背負って走らせられたことがあったが、それ以来の久し振りのことだ、と思いながら歩き出した。

ふと、アパートの人たちがこれを見たらどう思うであろうか、幼女趣味の変態男と見

るか、悪くすると誘拐犯《ゆうかいはん》と見られるかも知れない、と少し気になる。背中のティナはむろんそんなことにはお構いなく、

「ああ気持いいわ。あそこの部屋がママのガールフレンドのローズマリーのところよ。彼女まだ独身だから、デミアン、いつか紹介してやるわ」

と言う。

「オレは可愛くてセクシーでなけりゃいやだよ」

とふざけて言ったら真に受けて、

「彼女、とびきり可愛いってほどでもないけど、まあまあといったところね」

などと大人びた口をきく。

晩夏のボウルダーは夜の八時といってもさほど暗くはなく、西の空にはまだ、赤みの残った夕焼け雲の最後の一片が細長くロッキーの山並みに沿って残っていて、近くのフラッグスタッフやグリーンマウンテンといった山々がその茜空《あかねぞら》を背に、鬱蒼《うっそう》とほの暗く浮かび上がっていた。この時間ともなると、残暑の候とは言え、高原を渡ってくるそよ風が頰にやや冷たく、盆踊りの頃の信州がこんなだった、と思い出された。

ティナが「あっ一番星」と背中で頓狂《とんきょう》な声を上げた。

一周すると三〇〇メートル近くにもなるし、八歳ともなればかなりの重さなので、

さすがに少し疲れて降ろしたら、案の定、もう一周とせがむ。

「疲れたから今度は歩くことにしようよ」

と言うと、最初は渋ったが結局は応じてくれた。一緒に歩く分には人に怪しまれることもあるまいと思いながら先に立って歩き出したら、すぐに並んで手をつないできた。一周した後で、もう帰ろうよ、と言ったのだが、家に帰っても誰もいないティナはなかなかうんと言わず、もう一周、もう一周とせがみ続ける。

通りを何周しただろうか、気が付くともう辺り一帯は夜になっていた。うまく言い含めて、とにかく家まで送って行くことにした。彼女のアパートのドアは鍵《かぎ》が閉まっていたが、一ヶ所だけ鍵の閉まっていない窓があり、ティナは、毎日しているのだろう、いかにも慣れた身のこなしでそこをよじ登り、室内にはいり込み、中からドアを開けてくれた。雑然とした居間を通り抜けると、八畳くらいの広さの部屋があって、中央には青いカバーの掛けられた可愛《かわい》らしいベッドがあった。ここがティナの部屋だった。ベッドとありとあらゆるおもちゃ類の他に、カラーテレビとピンクの電話が私の注意を引いた。八歳の子供の部屋にテレビと電話を見たことはなかったからだ。ティナは一刻でも長く私に居て欲しいので、次々にいろいろの物を運んで来ては見せてくれる。それらを見ているうちに私は、何かの証拠品が、これでもか、これでもかと目の前に提出されるような息苦しさを感じた。

「もういいよ。もういいよ、ティナ」

やっとの思いでそう言うと、ティナは私が嬉しそうでないのを見て少しがっかりした様子だった。ティナを一人で残したまま、さよならを言うのはつらかった。別れて外に出ると、コロラドの青い満月が東の空から中天にかかろうとしていた。自分のアパートへ歩きながら、今頃何をしているのだろう一人で。お腹《なか》も空いただろうに。いつ帰るとも知れない母親を待ちながら、おもちゃとカラーテレビとピンクの電話などに埋もれて泣いてはいないだろうか、と思った。ティナの見つけた一番星が、山の端に隠れようとしていた。

それから二ヶ月ほど後のこと、パットに郵便受けの所でばったり会うと、開口一番、

「デミアン、ひどい話なのよ」

と顔をしかめて話しかけてきた。

「実はこの間の日曜日、ティナのお誕生日だったの。それでうちのゲーリー、リサをはじめ、七人の子供たちが夕食に招かれて行ったの。みんな一番いい洋服きて、そりゃもう楽しみにして行ったわ。ところがいつまでたっても夕食が出て来ないのよ。ティナのママが誕生日のことをきれいに忘れちゃって帰って来なかったんですって。しよ

うがないから一時間ほどしたら皆お腹すかせて戻って来たわ。ゲーリーたちお招《よ》ばれされた子供たちはまああいいようなものだけど、ティナがかわいそうでしょ。ティナとっても悲しそうな顔していたんですって」と目に涙を浮かべていた。

その後、私が忙しくなったことと、短い秋がまたたく間に過ぎて戸外で遊ぶには寒くなったせいか、ティナの姿は前ほど見掛けなくなった。ただ、ある日の午後、ティナのママがファーズという割合に名の通ったキャフェテリアで、中年のボーイフレンドらしき男と二人で楽しそうに食事をしているのをひょっこり見たこと、およびティナが一つ年下の男の子ダンを押し倒して、いやがって半泣きのダンにキスをし、その上、本当に泣き出したダンの股間《こかん》を蹴《け》とばして走り去ったのを見たこと、などを覚えている。

ゲーリー、リサ、ティナの他に、デイモン、キャロル、シェリー、ハリー、ダン、リン、ジェイムス……等、数え切れないほど多くの子供たちと、冬の寒い日々を除いてほぼ毎日遊んだことになる。大学から車を運転して帰って来ると、オニール・サークルに沿って歩いたり遊んだりしている彼らが、皆私の車を覚えていて、やあデミアン、と手を振ってくれたり、時には走ってきて、徐行している車の前に立ちふさがり、さらにはボンネットの上に乗られて立往生したことなどもあった。大学での研究や授業で疲労していたり、不愉快な事件のあった日などは、こういったことが滅入《めい》った気分をいかに爽快《そうかい》にしてくれたものか。コロラドでほとんどノイローゼにならなかったのは、アメリカというものに既に慣れていたということもあろうが、この子供たちによるところも大きかったと今でも思っている。

十三棟ものアパート群に住む数十人の子供たちが、皆私をデミアン、デミアンと呼んでなついてくれたので、私の名前は、あっという間にこの大きなアパート全体に知れ渡ってしまった。その上アパートに住む唯一《ゆいいつ》の東洋人であったのでよく目に付くらしく、時には知らない人々から通りで、今日はデミアン、と親しく挨拶《あいさつ》されて慌《あわ》てたこともあった。彼らが私をどう思っているか、ということは多少気になっていたが、少し気が変か、バカと思われていたかも知れない。なにしろ、何人もの子供を次々に肩車したりおんぶしながら、遊園地を奇声を張り上げながら走り回ったり、時には、ぐるぐる回しを十人ほどの子供に数回ずつしてやって、挙句《あげく》の果てに、自分の方が目を回し、青ざめたまま芝生に伸びていたこともあったのだから。

しかしこれほどまでに子供を好いたのはどうしてだろうか。今考えると自分でもやや常軌を逸しているように思えるのだ。ミシガンでの一年間に、ほとんど子供と遊ぶ機会がなく、欲求不満になっていたこと、大学の外でまだほとんど友達がいず淋しかったこと、なども考えられるが、やはり根本原因は単純にただ子供が大好きであったという以外にない。日本にいた頃も、田舎にいる小学生の従弟《いとこ》の友達などは何十人いてもその名を全部覚えていたものだ。子供を好き、子供に好かれるのは、むろん悪いことではないが、度を越すとやはり人に変な目で見られるらしく、母などは日頃、私の精神年齢が子供に近いと言う以外に説明できない、と言っていた。

理由は何でも、とにかく子供は可愛い。憎らしい子供というのに会ったことは未《いま》だかつてない。また可愛い子供が年と共にそれほどでもなくなるのも不思議なことだ。これは人間に限られたことではなく、牛馬や豚などの動物においても子供は実に可愛い。むろん、〝なぜ子供が可愛いか〟というより〝なぜ、子供を可愛いと感ずるか〟という人間の心理が問題なのだろうが。

また、子供は正直なところが良い。正直だから、ひっきりなしに嘘《うそ》をつく。虚栄心も強い。嘘をつかないのは不正直だし、虚栄心を見せない人間は信用できない。例えば、いかなる子供も常に、自分を、本当の年齢より年上に見せたがる。もっともこの点では、年上を年下に置き換えれば大人も同じである。私の母などは、数年間三十五歳でいて、ある時気が付いた子供たちに糾弾されて突如、四十歳になったりした。

ある日、四歳のノアと五歳のデイモンと私とがモンキーバーの上で遊んでいると、ノアが自分は六歳であり、もう学校にも通っていると嘘をついた。それを聞いたデイモンが、

「嘘つけ、お前なんかまだ幼稚園に行ってるくせに。オレなんか小学校一年生なんだから」

と反撃すると、ノアは、

「本当なんだから。じゃあママに聞いてごらんよ」

と負けていない。あとで母親たちに聞いてみると、ノアは来年やっと幼稚園で、デイモンは来年小学校にはいることになっているとのことだった。

また、これは虚栄心とは言えないが、ある日三歳の女の子トレーシーが何か一人前のことを言ったので、

「ふん、まだおしめしているくせに」

と言ったら、いきなりパンツを膝《ひざ》まで下げて、

「そんなものしてないんだから」

と憤然と抗議されたのには参った。東京の高井戸に住む私の甥《おい》がちょうど同じ三歳

の頃、同様のことをしたのを思い出しておかしかった。リサが、

「あたしもう六歳よ」

と言ったのはまだ六歳の誕生日の二ヶ月ほど前だったが、この種の嘘は、日本でもアメリカにおいても子供の間では公認済みらしく、多くの子供が誕生日の数ヶ月前に年を一つ取っている。

また、子供を見るとその家庭がわかるという説はアメリカにおいてもかなり真実に近い。両親が離婚している家庭の子供がこのアパートには大勢いた。多くの場合、母親にひきとられていて、週末に一日あるいは二日、父親の所へ泊まりに行くというケースが多いのだが、そういった子供は何かしらの問題をもっているのが普通で、たいていの場合すぐそれと分る。例えば十歳のチャーリーはいつも一人でバスケットコートで一輪車乗りの練習をしていて、誰とも口をきかなかったし、六歳のドロシーは可愛くていつも静かに微笑《ほほえ》んでいたのだが、声がどこか沈んでいて、目の辺りに淋しさをたたえていた。七歳のダンは通常は穏やかな良い子なのだが、時々、気が狂ったように年下の者をいじめる習癖があった。ある日、子供の悲鳴に、窓から外を見ると、ダンが年下のデイヴィッドの首を絞めて、その上片手をもってぐるぐる振り回して倒した後、泣きわめくデイヴィッドに構わずプロレスまがいの膝蹴りなどをしていた。

しばらく芝生の上で泣いていたデイヴィッドが隙《すき》を見て立ち上がり逃げようとすると、再び捕まえて、なぐる蹴るの乱暴。これには私もさすがに見かねて窓を開け、ダンを怒鳴りつけた。こんなダンを見たのはこれが二度目だったからだ。いくら離婚家庭という淋しい境遇にある子であってもこれはひどすぎる。

翌日、デイヴィッドのアパートに行き、余計なこととは思いながらも、母親のキャシーに昨日の一部始終を話したうえ、ダンとは遊ばせない方が良いのではないかと進言した。するとちょうどそこに居合わせた、大学院で人類学を専攻しているという父親のディックが出てきて、

「どうもありがとう、デミアン。実はそのことは知っていたのです。しかし思うに、そういうことは一つの経験であって、それを通して、子供は自分より力の強いボスにどう対処すべきか、という人間関係における力学を学ぶのだから、ほっとくことにしているのですがね」

と、眼鏡の中央を押し上げながら言った。さすがに人類学を勉強しているだけのことはある。親切心からとは言え、わざわざくだらんことを言いに行った自分が恥ずかしくなった。これは一つの識見と言える。日本の親ならさしずめ、その乱暴息子の家に怒鳴り込んで行くか、自分の子供を以後その子と遊ばせないようにするかのどちら

かだろう。もっともアメリカの親が皆そういった識見を持っているというわけではなく、ケビンという一人っ子の母親は、実際に怒鳴り込みをしたと聞いた。

このような離婚家庭では、唯一の親である母親が仕事に出かけなければならないため、一日の大部分を子供が一人で過ごすということになり、必然的に愛情の量的不足という問題が生ずる。私には、このことの方が、離婚という事実そのものよりも、子供に対してより深い影響を与えているように思われる。というのは、母親が再婚した家庭の子供も知っているが、皆、伸び伸びと育っていたからだ。もちろん、これは新しい父親の人柄に大きく依存するのだろうが。かなりしばしば見かけたのは、物心ついた子供を、ベビーシッターと呼ばれるアルバイトの女の子にまかせたまま、母親が外でボーイフレンドと遊びまわるというケースで、それがどのような影響を子供に与えているかは想像もつかない。

このアパートには約一年いただけで、契約の切れると同時に出てしまった。そんなに楽しかったアパートだったのにと思われるかも知れないが理由は簡単で、アパート所有者のオニールに我慢がならなかったのだ。この四十がらみの成金男は、もともと煉瓦《れんが》積み職人だったのだが、いかにしてか金を貯《た》めこみ、ついには小さな建設会社を持つまでになり、自分でこのアパートを建て所有しているのだ。後になって分ったことだが、これはボウルダーでのアパート所有者の典型的な例であった。彼はいつも酒気を帯びており、辺りを歩き回っては遊んでいる子供たちをやたらにどやしつけたりしていたので、アパート中の皆に嫌われていた。下階の若いカップルが、規則違反ではあったが、室内で犬を飼っていたのを見つけた時などは、激怒して向う百軒に聞こえるような大声で、今すぐに出て行けとわめいていた。

また、時には、マスターキーを用いて、無断でアパート居住者の部屋にはいったりもする。私の部屋にも二度ばかりはいられた。ところがやはり、知られないつもりではいってもすぐ分るのだ。私は外出する時、ドアにある二つの鍵《かぎ》のうち、面倒なので一つしか鍵をかけないことにしていた。ところが二度にわたって、大学から帰ってみると二つの鍵が両方ともかけられていたのだ。泥棒なら鍵をわざわざかけて出るはずはないしと、アパートのマネージャーにすぐ電話してみると、緊急の場合以外は断わりなしにははいらないと言う。すると残された可能性は、マスターキーを使えるあの赤ら顔しかないのだ。別段、部屋にはいられてもやましいことは何もないのであるが、プライバシーを侵されたことに腹が立って、その時は法律違反で訴えてやろうかとさえ思ったほどだった。

この男に決定的に愛想が尽きたのは翌年、すなわち一九七四年の初夏のことだった。アパートの二年目の契約更新を前にして、やや込み入った条件についてマネージャーの女性と私との間に話がついた。それでも念の為《ため》と彼女がオニールに電話をすると、何かやりとりがあった後、月額の家賃一九〇ドルを二〇〇ドルに値上げするとオニールが言っているらしいのだ。彼女が、

「前から一九〇ドルで住んでいる人に対してはそのまま据え置くことになっているはずですが」

と反論すると、電話の向うで、問題の居住人が誰かと尋ねたらしく、彼女は私の方をチラッと見てから、

「31Jのマサヒコフジワラ」

と答えた。三十秒ほどの沈黙が続いただろうか、何度かうなずいた後、彼女の〝はい、分りました〟で電話は切れた。彼女が言うには、確かに家賃に関してその規則があったのだが廃止されたとのこと。びっくりして、

「何、廃止？　いつから」

とやや興奮して叫ぶと、

「オニール氏はただいま現在からと申しておりました」

と言う。

三十秒の沈黙の間に、ブラックリストでも眺め、私が子供と騒ぎまわったり、無断侵入をとがめたりした男であることを見出《みいだ》したに違いない。さもなくば聞き慣れない名前の私が、黄色い日本人であることを居住者リストの国籍欄に見つけたのだろう。こう考えてくると、これは単なる一〇ドルの問題ではなく、私を追い出すためのイヤガラセであると同時に、人種差別でもあると感じた。瞬間的に怒り心頭に発し、

「そんなのは bullshit（牛の糞）だ。オニールに話させてくれ」

と甲高い調子で早口に言うと、

「あの人はそういう人なのです」

と一言、マネージャーは首を振り振り申し訳なさそうに言った。私は思わず、

「クソッ畜生め、あの飲んだくれ野郎、今度あったらぶっ殺してやる……」

というようなイミの、日本語ではとても言えないことを、わめき散らした。こういう時、英語は便利である。ありとあらゆる汚ならしく、わいせつなスラングが揃《そろ》っていて、私もその頃までに学生などから教わって、そういった言葉の使い方を会得《えとく》していたのだ。

言葉に対する羞恥心《しゅうちしん》というのは、その意味に対しての羞恥というよりも、むしろそ

の言葉の響きに対して長い間に培《つちか》われた条件反射的羞恥なのである。例えば、日本の各地方には、性的な意味をもつ隠語がいろいろあり、人々はそれらに強い羞恥心を感じている。しかし多くの場合、それらの語源はもとより真の意味さえ明らかでなく、人々はただ、陰では語られても人前では絶対に語られなかったという子供の頃からの経験により、条件反射的に羞恥心を感じているにすぎない。この条件反射を得るには二年間では短かすぎる。従って、私はそういった言葉に対して、それが英語である限りさして強い羞恥心を持っていなかったということになる。

スラングに関するありとあらゆる知識を総動員し、かつ全能力を用いて罵倒《ばとう》したら、前から一度は使ってみたいと思っていた言葉を存分に吐き出せたせいか、言うことに詰まる頃にはかなり気分も晴れていた。マネージャーは私の剣幕に驚きながらも、同感といった顔つきだ。しかし雇われの身の弱さで何も言えない。

こんな経緯《いきさつ》でアパートを出ることを決心した。断固対決して動くまい、とも一度は思ったが、毎日飲んだくれを相手に喧嘩《けんか》していては精神衛生に悪いし、ひいては肝腎《かんじん》の研究に差し障《さわ》りも出て来るだろうと思ったからだ。こうなると、手紙の住所欄に、三二五〇オニール・サークルと書くのが不愉快でならず、それからアパートを出る一ヶ月くらいの間、ほとんど手紙を書かなかった。

この不愉快な事件を、二階に住んでいた友人であり警察官のジョーに話したことがあった。彼もオニールを非常に嫌悪《けんお》していたらしかった。私が興奮して、

「今度、奴に出会ったら思い切りぶっとばしてやる」

と息巻くと、即座に、

「その時は横を向いていてやるから」

と言ってくれた。

その頃のある日、学生新聞コロラド・デイリーに、オニールを誹謗《ひぼう》する投書が掲載されたことがあった。よく読むと、現在、市会議員に立候補中のオニールは、金のためには手段を選ばぬ人間であり、その上、建設会社のボスとして恐るべき人間でもある。低賃金で労働者を長時間酷使し、不平、文句を一言でも言おうものなら、ただちに首切りというひどさで、彼の下で働いたことのある人々は誰でも、彼が冷酷非情な獣であることを知っている。従って、今度の選挙では、彼がどんなに美しい公約を語ろうとも絶対にオニールには投票してはならない、というような意味のことが書かれてあった。その後、行なわれた選挙では、確か、尻《しり》から二番目で落選していたように覚えている。

アパートを出る日は素晴らしい五月晴《さつきば》れだった。パット一家が昼食に招いてくれた。彼女得意のストロベリーケーキが実においしかった。彼らもまた、間もなくそこを出て、カリフォルニアに戻ると言う。お互いの写真を撮り合ってから住所の交換をした。別れる時、すでに六歳になっていたゲーリーが、にこにこと紳士のように近寄ってきて握手を求めた。

「ゲーリー、一年間楽しかったね。きっとまた会おう。でも、唐変木と握手するのは気分良いだろう」

と言うと、

「唐変木、ハハハ唐変木」

と笑った。次いで白いワンピースにブルーのソックスというつもより少しおしゃれをしたリサが、恥ずかしそうに微笑みながら寄って来たので、腰をかがめて抱いてほっぺにキスをしてやった。ボブと握手してから最後にパットを軽く抱きしめてやった。あの太さではどうせ強くは抱けない。

「デミアン、あなたと知り合いになれて本当によかったわ。子供たちも毎晩、家に帰ってから、あなたがどうしたこうしたと言ってたわ。あしたから子供たちも淋しいでしょうね。でもまたきっと会いましょうね。手紙も時々くださいね。私たち、誰もあなたのこと忘れないから。いつまでも」

と言いながら、涙もろいパットはもう目をうるませていた。

歩きなれたオニール・サークルを感慨にふけりながらゆっくり運転して、遊園地にさしかかると、友達と遊んでいたティナが私を目ざとく見つけ走ってきた。

「デミアン、最近見かけなかったけど、どうかしたの」

と窓越しに言うので、

「うん、引越しの準備が忙しくてね」

と言うと、

「引越し？　いつするの？」

と大きな丸い目をくりくりさせて言う。

「今日、もう、みんな運んじゃったんだ」

ティナは一瞬顔を曇らせた。悲しそうな表情で、

「もうこのアパートに戻ってこないの？　日本に帰っちゃうの？」

と言う。かわいそうになったので、

「いやちょっとそこらへんのアパートに移るだけさ。また暇を見つけて遊びに来るよ。だってティナ、君が好きなんだもの」

と言って、ふっくらした頬をポンポンと二度ほど軽くたたいてやると、初めて笑顔をつくり、

「じゃサヨナラ、デミアン。出来たら毎日遊びに来てね」

と言って走り去って行った。

その後、ボウルダーを出るまでの一年間に、暇を見つけて三度ほどこの遊園地を訪れたが、どうしてかついにティナの顔を見ることはできなかった。子供の数もその年はめっきり減ったらしく、最後に訪れた時には誰も遊園地にいず、白いブランコだけが風に静かに揺れていた。

8　コロラドの学者たち

研究者たちは「論文を書け、さもなくば滅びよ」と標語的に言う……。
（コロラド大学数学研究室）

友人のカール・ノートンは、一九五センチもある身体《からだ》を、ぎこちなさそうに私の研究室の肘掛椅子《ひじかけいす》に押し込んでいた。三十五歳という若さにもかかわらず、頭部の金髪はかなり後退していて、額がやけに広く見える。眼鏡の奥に光る目が、研ぎ澄まされた知性を表わすかのごとく、時々鋭く光る。

彼は半年ほど前の一九七三年春に、六年間勤務したコロラド大学を解雇された。理由は簡単だった。彼はあまりにも多くの学生を落第させてしまったのである。ある学期にはクラスの三分の二を不可とした。その理由も単純明快で「及第させるほど出来なかった」からだ。憤慨した学生たちは続々と数学教室主任の所へ不平不満を訴えにやって来たり、投書したりした。中には人文科学部長に直訴する者まで出てきた。彼らは、異口同音にカールが厳格すぎると言った。事態の重大さを憂慮した主任はカールに対し、幾分かの寛大さを示すよう忠告した。しかし彼はこれに従う気持は毛頭なかった。彼に言わせると、最近の大学生は周囲の温情主義に甘やかされているうえ、もともと大学で学問を学ぶ資質のない者が多すぎるのだった。そして、出来が悪く怠惰な学生を落第させるのは正義であり、教授としての義務でもあると考えていた。

毎学期のようにクラスの半数近くを落第させるので、実態調査のため、教室の学部教育委員が彼の授業を参観したり、クラスの学生から事情聴取をしたりした。彼の教え方に問題があるのではないかと疑ったのである。しかし、その結果によると、彼はどの授業に対してもきわめて周到な準備をしていたし、採点は公平無私かつ良心的で、そのうえ、教え方も要点を衝《つ》いていて非の打ち所はなかった。また、試験問題を集めて検討してみたが、他の教官のものと比較して、それほど難かしいという結論も引き出されなかった。委員会の面々もハタと困ってしまった。信じ難いことではあるが、カールのクラスだけに毎学期、運悪く、出来の悪い学生が集まってしまったということも考えられないではないからだ。とにかく調査結果は、委員会の予想に反して彼自身の言っていたことを裏付けるだけのことになった。私も、彼が良心的すぎるほど良心的であり、稀《まれ》に見るほどに責任感と正義感の強い人間であることは十分知っていた。従って彼の言うことはいつでもそのまま信用することにしていたくらいだ。

研究室の開かれたドアから話す内容が外部に洩《も》れているにも構わず、カールは彼特有の張りのある声で事の経緯を私に話し続けた。事実を誇張したり歪曲《わいきょく》しないように注意深く単語を選びながら話す様は、几帳面《きちょうめん》さをそっくり反映していた。ふと耳に入れたカールの解雇事件に、私が大変な興味を示したので、自らある日の午後をさいて説明に来てくれたのである。通常、大学を解雇される場合は、研究者としての能力が理由とされる。その際には論文という格好の判断材料があるので、その評価に主観の混入は避けられないとは言え、当人は不満ながらも納得することが多い。しかしカールの場合は、教育能力が理由となったきわめて例外的なケースであった。研究者としての彼は高く買われていた。エール大学を最優等で卒業した後、イリノイ大学でPh・Dを取り、すぐコロラド大学に就職したのだが、その間に、イギリスに留学したり、プリンストンの高等研究所に長期研究員として滞在したこともある。専門は解析的整数論と呼ばれる分野で、特に算術的函数《かんすう》に関しての造詣《ぞうけい》は深く、既にいくつかの優れた論文を発表していた。彼を昇進させるか、あるいはさせない、すなわち、解雇するか、に関して教室の意見は二つに割れた。彼を擁護する人々は、彼の研究者としての素質および業績を高く評価した。他方は、彼の教育者としての欠陥を大きく取り上げ、同時にこの機会を捉《とら》えて教育の重要性を強調しようとした。

実はこの二つのグループの反目はその時に突然現われたものではなく、長い間にわたってくすぶり続けていたものであった。すなわち、研究至上主義のAグループと、教育も研究と同等に重要であるとするBグループの二つが、事あるごとに対立を続けていたのである。同様のことは日本でも見られるが、アメリカの主要大学においてはその様相がかなり異なる。段違いに深刻なのである。と言うのは、どちらの意見が重視されるかにより、言い換えれば、どちらのグループの勢力が優勢であるかによって、各教授の年収に直接的な影響が出て来るからである。一般的に、アメリカの主要大学では、教授の給与は主に研究業績によって左右される。日本におけるそれが年齢に依《よ》っているのと対照的である。例えば、コロラド大学のシュミット教授は、まだ四十三歳という若さでありながら、その世界的な研究業績を認められ、四十人ほどの教室員の中でも三本の指に入っている。すなわち、少壮有名教授が六十三歳の停年間近の平凡な教授より、はるかに高い年収を得ているのである。従って、研究能力、あるいは研究意欲の高い人々は大体、Aグループに属することになる。これに対してBグループの人々は、大学の機能には研究だけではなく、教育および運営などもあり、どれも軽視されるべきではないと考える。従って、給与を決定する執行委員会は研究上の業績だけに捉われず、教育上の功労も大いに考慮すべきであると考えている。こういった考えは、それほど研究意欲はないが、学生教育に熱意を傾けている人々とか、各種の委員会で活躍中の人々、管理職の人々などから支持されている。年齢の点から見ると、若い教官は大学院の頃から研究至上主義に徹底的に洗脳されて来ているし、それを信じない限り数学者として生存して行くことは出来ないことを肌身で知っているから、ほぼ全員が当然のごとくAグループに入る。一方、老教授の多くは、新たな意欲的研究を始めるには肉体的、精神的に疲れてしまっている人が多い。殊《こと》に、数学研究は他の諸分野に比べて経験という要素があまり役立たないから、いかに年老いていようとも、研究しようとする限り、若手と対等に張り合わねばならず、大変に骨の折れるものなのである。従って彼らの中ではBグループに入る者が多い。

研究至上主義は第二次大戦前の一九三〇年代に、ヨーロッパから追放されたユダヤ人教授などと共に新しく輸入された思想であると言われる。すなわち、それは古くからのドイツにおける大学の伝統であってアメリカ固有のものではない。従って、それ以前の平和な大学に育った老教授たちは、ゆったりと静かな思索を好んで、生き馬の目を抜くような昨今の論文製造競争には肌が合わないのである。この論文製造競争のことを、人はよく、"Publish or perish"（論文を書け、さもなくば滅びよ）と、標語的に皮肉をこめて言う。これは全くの誇張ではない。論文を発表しない限り、就職できなかったり、首になったり、昇進や昇給を停止されてしまうのだから。

一般に、一流大学ではAグループの勢力が強大であり、二流、三流、四流となるにつれてBグループがだんだん強くなっていく。しかし、BグループがAグループを圧倒することはまずない。なぜなら、洋の東西を問わず、典型的な大学教師というものは、自分が専門分野における研究者であることをことさら強調したがるからである。特に若い教官の間ではこの傾向が強く、彼らは一様に、フレッシュマンに各科共通科目の微積分を教えるよりも四年生に専門科目を教える方がより重要であり、学部学生を教えるよりは大学院学生を教える方が有意義である、そして研究の方が教育より価値が高いという考えをごく自然に信じ込んでいる。

コロラド大学の各学科では、学部一年生から大学院博士課程までのそれぞれの講義科目に、難易度に応じて三桁《けた》の通し番号が付されている。普通の学生は、高等学校の復習に当る百番から始めて、二百番台、それから三百番台と進み、五百番および六百番が修士、博士課程用となっている。実力の秀《ひい》でた者は一年生でも三百番台を聴講して差支えない。前に述べた通り、時間割編成の時期が近づくと、彼ら若手教官は、より高い番号の科目を教えようと躍起になる。表面上はそう思われないように繕うが、心中では必死である。それがあまり意味のないことを理性ではわかっていた私ですら六百六十番という講義を受け持つことに決まった時は鬼の首でも取ったような気分になった。

さて、この二つのグループは、日本におけるいわば派閥に似ていて、学内の諸事に関してのみならず、学外においてもある種の冷戦状態にある。例えばAグループの一員によるパーティにBグループの人が招待されることは滅多にない。大きなパーティの時は両派が混じることもあるが、小規模の家庭的パーティではまずそういうことは起こらない。私はAグループの考え方に必ずしも全面的には賛成していなかったのだが、いつの間にか、その一員と見なされていたらしく、Bグループの人からはついに一度も招待されなかった。

研究と教育という大学における二本柱の葛藤《かっとう》が表面化した場合は、常にAグループの意見が教室を支配してしまうのだが、その結果として研究業績の評価ということが必要になってくる。これが大問題なのだ。数学の中でさえ専門の細分深化してしまった現在では公平な評価がきわめて困難である。微分幾何学者が確率論の論文を前にして、あるいは有限群論の専門家が偏微分方程式の論文を前にして感ずることは、その数学者が古代ギリシャ語、又はサンスクリット語で書かれた詩文を前にした時と大差はないであろう。従って分野の異なる人々を比較評価するのはすこぶる難かしい。しかし、いかに困難であろうとも、選挙で選ばれた委員から成る執行委員会は、毎年給与決定時期になるとそれをしなければならない。ある人間の業績を評価するのに、その人と専門の近い人たちに意見を聞いてみる手があるが、これもあまり信頼できる方法ではない。専門の同じ同僚というのは互いに一種特異な感情関係にあって、とかく好意的すぎたり、批判的すぎたりして公正な意見を期待できないからだ。そして公平な評価に対する、より本質的な障害は、論文の価値判断というものにはどうしても評価する人の思想、哲学、趣味等の主観が入ってしまうということである。例えば、抽象的な理論の好きな人は、具体的な数学を「近視眼的で統一的な美に欠けている」と低く見るだろうし、逆の場合は、抽象数学を「空虚な論理的遊戯にすぎない」と心中で苦々しく思うであろう。また、特定の問題を自分と異なる方面から考えている人に対しては自然に攻撃的になることが多いし、時にはそれが高じて憎悪《ぞうお》に変わることさえある。万人の認めるような大論文ならいざ知らず、ほとんどの論文に関してはこのように客観的評価が得られにくい。しかも中には、かなりの年月を経ないと重要性の明らかにならないものもあったりする。そこで勢い、論文の質より量に目を転ずることになる。極端に言うと、十編の論文を持っている者は五編しか持っていない人の二倍の仕事をした、または二倍の研究能力があると見なすのである。屑籠《くずかご》へ直行するような十編の論文よりは、珠玉の一編の方が遥《はる》かに価値のあることは自明なのであるが、既に述べたように、珠玉か否《いな》かを見極める効果的方法がないのである。この〝質より量〟が、実に世界的な規模で全学界に蔓延《まんえん》しつつある悪疫《あくえき》の元凶となっている。

より良い職を得るため、より高い俸給をものにするため、学内や学界における発言力を高めるため、政府や財団からの研究費を獲得するため、あるいは単に自分の存在証明として人々は安易な論文書きに狂奔する。いかに安直な論文であろうと発表されてしまえば、それが取るに足らぬものであることを理解する人は比較的少数であるし、その事実をわざわざ宣伝したりする人となると、まずいないから上記の目的の幾つかは結構達せられるのである。

この傾向を悪疫(すべての人がそう思っているわけではないが)と呼んだのは、第一に、それが長い年月を要する深遠な研究への没頭を妨げているからである。十年後のフィールズ賞を狙《ねら》って大問題に取り組み、その間に一つの論文も発表しなかったとしたら、まずは無能力者として途中で首になるか、それほど悪くないにしても、経済的、精神的苦境に立たされることは間違いない。実際に、現在では世界的な数学者であるマサチューセッツ工科大学の某教授は、若い頃、古典的大難問に取り組んでしまい、数年間これといった論文を書かなかったから、ミシガン大学を首になってしまった。そこである田舎大学で教鞭《きょうべん》を執っていたのだが、幸運なことに、間もなく彼はその問題を完全解決したので、一気に現在の一流大学に迎えられたのである。しかしこの教授のような冒険をする者は就職事情の極度に悪化した最近では、きわめて例外的であり、ほとんどの者は初めから、まかり間違えばもろとも沈没しかねないような大問題を避けて、手頃な問題を探そうと努力する。かくして、生存競争のためには仕方がないとはいえ、論文の洪水となるのである。

第二に実際的弊害として、論文やその他の学術刊行物の爆発的増加は、各大学の数学図書室をパンク寸前に追い込んでいる。また、掲載予定論文が多くなるにつれて、投稿してから実際に出版されるまでに日数がかかりすぎることになった。少なくとも三年は待たなければならないような雑誌が幾つか出て来た。これでは画期的な論文も長い間編集室の倉庫で眠らざるを得ないことになり、数学の進歩にとって障害である。また、その三年の間に、お互いの研究を知らなかった場合、あちこちの雑誌で同一の、あるいは類似結果が発表されたりして重複となり、エネルギーの空費でもある。

この〝質より量〟の問題を含んで、研究業績の公正な評価方法の欠如というものは、しばしばBグループからの、時にはAグループ内部からさえの批判対象となっている。

しかし一方、教育における功労の評価はいっそう至難の業であろう。熱情を傾けて、誠心誠意教えているか、あるいは単に義務感からほんの片手間仕事として教えているのかを実証することは難題だし、ましてそれを数字に表わして順序づけるなどということはほとんど不可能に近い。そこで一つの試案として、学生による教授評価

(Teaching Evaluation) というものが生まれた。これは全学的な委員会により作成されたアンケート用紙を各教授が自分のクラスの学生に配り、匿名《とくめい》で答えられたそれは学生の手により回収され、教授の手を経ずしてそのまま委員会に送られるものである。このアンケートは、コロラド大学の場合は、二十七項目の質問から成り立っていた。例えば、(1)教授は十分な授業準備をしていたか、(2)効果的に教えたか、(3)教授は授業内容を熟知していたか、(4)学生の理解が混乱している時にはそれを察知することが出来たか、(5)宿題は効果的であったか、(6)採点は公平だったか、……等とあって最後の質問が、これが一番の関心事なのだが、(27)この教授を他の教授たちと比較して評価せよ、となっていた。各質問につき、AからEまでの五段階の評価がなされる。委員会に送られたものは、コンピューターで統計的に処理され、結果は、アンケート用紙と一緒に各教授のもとへ送られてくる。大学によっては、学生団体や各教室の執行委員会にも送られる。

アンケート用紙の裏面には、教授に関する批評を自由に記せる欄があって、学生は匿名をよいことに勝手なことを書く。

この「教授評価」を一覧すると自分の教育法に関する弱点が手に取るように分るので、改善の足がかりとするには大変に重宝なのだが、教育における功労の尺度として、つまり給与決定等の際の主要資料として使用するには少し問題がある。というのは、いくら熱心にかつ良心的に教えても、どうしても学生に好かれない人間がいるし、学生の判断にあまりにも依存すると、試験を易《やさ》しくしたり、評点を甘くしたりとかで学生のご機嫌取りに走る者の出て来る恐れがあるからだ。実際、カールのように徹底的に予習したうえ、一人一人の宿題を懇切丁寧に添削して返していたりしたにもかかわらず、なぜか学生には好かれず、さんざんな目に会ったのもいれば、私のように、それほどの予習もせず、宿題の採点もうんざりしながらやっていたのに、学生からは圧倒的に好感を持たれて、この教授評価ではほとんど常に、数学教室のトップであった人間もいるのだから。

カールと私との間にこの差を生み出したのは何だったのか。彼は自分の学生に対して愛情とか同情といったものをあまり持ち合わせていなかった。彼が学生について語るのを聴いていると、しばしば敵意さえ感じられた。用意周到な授業も、懇切な添削も、一つには、学生たちにつけ込む隙《すき》を与えないために意地になってやっていたと思える節もないではない。大量落第をさせるには正当な理由が必要だからだ。こうしたカールの態度に学生たちが気づかぬはずはない。学生というものは、教授が自分たちに対してどんな感情を持っているかを見抜くことにかけては天才的である。瞬間的に見抜いてしまう不思議な本能を持っている。カールはそれに気づいていないようだった。たとえ気づいても彼は自分を変えようとはしなかったろうが。

教育実績の評価も研究業績のそれと、少なくとも同程度には難かしい。かくして、研究派と教育派の葛藤は、各々《おのおの》の思想的正当性の問題と共に、適正な評価手段の模索を包含しながら、各大学、各学科での感情的対立の焦点、あるいは、政治力学の決定要因として機会あるごとに表面に浮かび上がって来る。

カールが解雇されたのは、そういった言わば内部抗争に不運にも巻き込まれたこともあった。Aグループのほとんどは当然カールを支持したのだが、劣勢のBグループが人文科学部長に働きかけて彼を追い落そうと企《たくら》んだ。研究室のドアを背に、長い脚をもて余し気味に組んでいたカールは話がそのことに及ぶと、それまでの冷静さとは対照的に突然顔を紅潮させ、彼らのことをidiots（白痴野郎たち）と呼びだした。彼の言うところによると、連中は落第させられた学生を一人ずつ扇動して学部長に直訴させたうえ、自らも事実を歪曲《わいきょく》、捏造《ねつぞう》して解雇を進言したらしい。Aグループが優勢な数学教室では投票によりカールを昇進させることに既に決定していたので、反対派にとっては学部長に訴えるのが最後に残された手段だったのだ。

反対派の人々がそれほどまでした理由は二つある。一つはAグループの闘将として自分たちを非難してきたカールに対する感情的な恨み、もう一つはこの機会を利用して大学教授の任務としての教育、その重要性を確立しようと思っていたことだ。学部長がもともと数学科の教授で、しかもBグループに属していたことは彼らの働きかけを容易にした。そして策謀はまんまと成功し、学部長は教室決定をあっさりと覆《くつがえ》してしまった。昇進を拒否すること、即それは解雇を意味している。学部長の権力は日本においてとは比較にならないほど強いのである。Aグループの面々は教室の自主を侵されたとして、大いに感情を害したが、概して研究至上主義者には利己主義者が多いので、誰一人として学部長に強く反論する者は出て来なかった。下手をすると火の粉が自分に降りかかることだって考えられるからだ。

ここに至って支援の当てにならないことをやっと悟ったカールは学部長に単独会見を申し入れた。会見は間もなく行なわれた。その席上、解雇理由を明白にし、それを公表することを迫る彼に対し、学部長は「教育者として欠陥があった。研究者としての能力は高く評価するが、その欠陥を十分にカバーするには至らない」というだけで、その欠陥とは何かについては具体的な説明を拒否した。というのは、カールに言わせると、学部長は誰でもが納得するような確固たる理由や証拠は持ち合わせていず、その判断は、進言にきたBグループの人々や、落第学生たちの感情的意見に基づいていたからだ。カールはそのような漠然とした理由では承服できない旨《むね》を述べた。

ところが、その数日後に学部長は全教室員にあてた通知の中でカールとの会見に触れ、それが友情溢《あふ》れた、実り豊かなものであり、カール自身も自らの非を納得してくれたと書いたのだ。しかし以前から学部長の二枚舌を疑っていたカールは、会見の席で秘《ひそ》かにテープレコーダーを回していた。

彼は早速すべてはでっち上げであり、テープによる証拠があると、反論のパンフレットを教室全員に配付した。そのうえ、学部長の不誠実さを洗いざらい暴露し、かつなじった。再度の会見を強硬に求めたカールに対し、学部長は、オフレコの約束で始めた会談をテープに取っていたことは相互の信頼関係を甚だしく傷つけた行為だとして一切の申し出を拒絶した。

そんな約束が果してなされていたのかどうか私には分らない。また、この学部長とは直接の付き合いがなかったため、いかなる人間であるのか正確には分らないが、カールは彼のことに話が及ぶと口を極めて罵《のの》った。カールの行く教会にたまたま彼も所属していて、ある日曜日の礼拝で、大勢の会衆を前にしてキリストの愛について得々と説教していたそうだ。

「完全無欠な偽善者」そう言ってカールは初めて皮肉な笑みを口許《くちもと》に浮かべた。

かくしてカールの解雇は決定した。不当解雇として学内外の人権委員会等に提訴してみたが、どこも誠意ある反応を示さなかった。アメリカ数学会やアメリカ教授連合の委員会は彼を助けるにはあまりに微力だったし、学内においては、誰も彼のために名だたる人文科学部長を相手に一戦を交えるだけの義侠心《ぎきょうしん》を持ち合わせていなかった。私は、カールは一片の嘘《うそ》も言っていないと信じている。それほどの誇張もなかったように思う。彼は私の理解を助け、彼の陳述に誤りのないことを傍証するために、事件に関する通知書やパンフレットなどと共に学部長や主任と彼との間で取り交された私信のすべてを複写して私にくれた。それらを精密に読んでみると事件の全貌《ぜんぼう》がよく分る。彼は声なき人々の支持はあったが、学部長との戦いにおいては全くの孤軍奮闘であった。教室内では声高に彼を応援した人々も学部長が表面に出て来るやいなや一斉に沈黙してしまった。

特に印象的だったのは、数学教室でのAグループの総帥《そうすい》とも思われた主任教授が、カールに対しての言葉と学部長に対しての言葉を巧みに使い分けていたように思えることだった。この教授がシュミット教授と並び世界的な名声を有する人物であり、故ケネディ大統領の科学顧問でもあった有名数学者であったことが私の好奇心を捉《とら》えた。

後になって、カールが見せてくれたある少年向け科学誌に、現代アメリカを代表する科学者が各分野から一人ずつ選ばれ紹介されていたが、数学界からは彼が選ばれており、説明には彼が水爆の生みの親であると記されてあった。私に対しては親切にしてくれたが、この記事を読んでからは彼の所で行なわれたパーティへの招待を辞退させてもらった。

私はカールの主張に何ら誤りは見出《みいだ》せなかったが、全体的に眺めて彼の考え方には柔軟さが欠けるうえ、正義を通すことに頑迷なほど執着しすぎたように思った。事の大きくなり始めた頃にこれを心配したシュミット教授は、何度か彼に対して態度を改めないと不幸なことになると言って忠告していた。厳格さを多少加減してほんの少しの妥協さえすればすべては円満に解決するのだし、教育上のトラブルが、本来最も重要であるはずの研究生活に悪影響を及ぼすことの不合理、不利益を説いたのだが、彼はそれを一切受け付けなかった。むしろ反発さえした。彼にとってできない学生を落第させるのは正義であったし、なによりそういった無責任な態度こそが現代の大学内の矛盾の元凶だと考えていたのだ。とにかく彼は一切の妥協を拒絶した。私の好奇心を感知してか、彼を支持し、あるいは非難した人々の名前を明かしてくれたが、その一人一人につき、いつ、どこで、誰の下でPh・Dを取り、これまでにいくつの論文を発表したか。そのうえ反対派の教授に関しては、最後に書いた論文が何年であるか、そして彼らの論文がマセマティカル・レビュー誌でいかに低く評価されているかまでを正確に諳《そら》んじて見せた。それを聴きながら私は思わず戦慄《せんりつ》に似た感情に捉われていた。そして彼は教室での最有力者の一人であるシュミット教授が彼を十分に支持しなかったことに不満を洩《も》らした。私が教授を慕っているのを知っているためか、かなり控え目に語った様子であったが、彼は教授がその気にさえなれば学部長の気持を動かすことさえ可能だったと考えているのだ。私が、

「シュミット教授は根っからの平和主義者であり、誰との争いも好まなかったのだろう」

と多少弁護すると、私をきっと見つめて、

「彼はヒットラー支配下のオーストリアで生まれ育ったため、強い者には反抗しないという処世術を身につけてしまったらしい」

と吐き捨てるように言った。面白い見方だと思った。しかし私の考えは少し異なっている。シュミット教授が本気になってとことんまでカールを助けようとしなかったのは、その騒動に深入りするのを恐れていたからだと思う。それは権力者である学部

長との対決を怖《おそ》れたと言うより、そういった争いにエネルギーを消耗することが自分の研究に支障をきたすのを恐れていた、と思えるのだ。

シュミット教授の研究至上主義は徹底していた。自分の研究に関しては利己主義どころか凄《すさ》まじいほどに自己中心的であった。いかなる事柄でも、研究に少しでも差し障《さわ》りのありそうなことは極力避けて通った。授業割当ての際にも、自分の教えたい講義と自分の都合の良い時間を主張して譲らなかったし、各種の委員会からも意識的に遠ざかっていた。他人に利己的と言われようと全くお構いなかった。その代わりに研究に対する情熱と精進ぶりは物凄《ものすご》かった。彼の家にいつ電話をかけてみても、常に、最初には夫人のパット、または子供が出て来て、それから書斎の教授に繋《つな》がれた。私は彼の研究を中断するのを恐れて、電話はよほどのことがない限りかけない習慣になってしまったくらいだ。私個人としては、研究という大義名分の下に学内の雑用を逃げるのは原則として許されないと思っている。しかし、シュミット教授の場合はきわめて例外的なケースであって許されると思っていたし、許さなくてはならないとも思っていた。彼のように稀《まれ》にみる、しかも働き盛りの天才は、研究に専念することにより、各種の委員会に出席するより遥かに多大で重要な貢献を人類に為《な》すことが出来るからだ。彼は通常、大学院の科目を一つと学部の一科目、週に計六時間の授業をあてがわれていたが、私はこれでも多すぎると思っていた。ただし、このような論理はしばしば、不適切に乱用されうるきわめて危険な発想である。これがみだりに使われると収拾がつかなくなるからこそ、たとえ多くの人がそれを望んでいても、教室としては彼を特別待遇できないのである。

彼は、教官会議の席では稀にしか口を開かなかったが、自分の利害に直接関《かか》わるような件がもち上がると必ず発言を求めた。そんな時だけに発言した。そして彼の意見は常に重みをもって受け取られた。数学者の世界ではどこでも、たとえそれが数学とは無関係の話であっても、意見の影響力はなぜかその人の数学業績に比例することが多いからだ。カールも、シュミット教授の数学的業績を高く評価していた。しかし、それが利己主義と表裏をなしていることには批判的だった。この点は、利己主義をも含めて尊敬していた私と異なる。カールは研究業績のない人々をほとんど軽蔑《けいべつ》さえしていた。しかし同時に、研究者として偉大である、というだけの理由で優遇され、わがままを許され、格段の高給を取ることの正当性を疑っていた。シュミット教授は、研究至上主義者としての特徴を、善きにつけ悪《あ》しきにつけ象徴的に持っていたと言える。

私は教授に対して、ボウルダーに着いた当初、立派な数学者に対する尊敬の念の他には、自分をコロラドに招いてくれた、という恩義をいくらか感じていたにすぎなかった。しかし月日がたって、数学に打ち込んだ人間としての偉大さを目《ま》のあたりにしてからは、畏敬《いけい》さえしていた。老教授連を除くすべての人々をファーストネームで呼んでいた私だったが、ついに彼に対してだけは、親しくなった後でもそうすることが出来なかった。夕食後の団欒《だんらん》時でも、「プロフェッサー・シュミット」と呼んでいたから、子供たちに面白がられたこともある。公私にわたって大変に親切にしてくれた。教授だけでなく家族ぐるみで私を好いてくれ、家に招かれたことは幾度となくあった。私が子供たちと外に遊びに出たり、サーカスに連れて行ったりしたこともあった。シュミット教授の唯一《ゆいいつ》の趣味は山であり、夏は登山に、冬はスキーに頻繁《ひんぱん》に出かける。どちらも、子供の頃から慣れ親しんでいるだけあって専門家はだしの腕である。その季節が来ると、彼の生活は数学と山に二分されているかの観があった。

ある日、夫人のパットが、

「うちの主人ときたら、数学、山、そして私の順なんですよ」

とこぼしていた。もっとも満更でもないような顔はしていたが。

彼はロッキー山中に設備の整った山荘を持っていて、私も冬期には何度か招かれてそこを訪れたことがある。昼間はスキー、夜になると可愛《かわい》い三人の子供たちと遊び、彼らが寝室に消えた後は、パットを混じえた三人で四方山《よもやま》話に花を咲かせたり、急転して数学の話を始めたりした。数学の話になると、突如パットは仲間はずれになるのだが、他の数学者の夫人たちと同様に、そういうことには慣れているらしく、つまらなそうな顔もせずに、黙って耳を傾けていたり、長引きそうだと感ずると新聞を読んでいたりした。親しかったエリオット教授の夫人は、数学者同士が数学の話をしているのを横で聞いていると宇宙人の会話のようだと言っていた。

しかし、パットがそこにいるということは、たとえ彼女が何の口を挟まなくとも私にとっては意味があった。彼女が何かの都合で席を立つと、教授と私の二人きりになるのだが、そのたびに大先生と二人だけだということを意識して、にわかに緊張感が高まったものだ。

ある晩、私が茶目っ気を起こして、

「先生を大変気に入っている女子学生を知っていますよ」

と言うと、横にいたパットを意識してか、努めて平静に、しかし照れ臭そうな表情を見せて、

「女子学生が？　どうして私を好きなんだろう」

と、いぶかしそうに聞いた。そこで、ある学生パーティで会ったその学生の言った通りに、

「脚が長くて素敵だから、と言ってましたよ」

と答えたら、謹厳な教授もパットと一緒に声を立てて笑った。なぜか二人とも嬉《うれ》しそうだった。彼の脚は確かに長く、私と並んでスキーリフトに坐《すわ》った時には、私よりも少し背が低いのに、彼のスキーは私のより五センチほど下にあった。少々悔しかったのでよく覚えている。しばらくしてパットが用事で席を外すと、彼女がいなくなったのを確かめてから、教授はだしぬけに、

「さっきの女子学生ば誰だい？」

と、待ちかねたように質問した。私は、やや面喰って、

「いや、ちょっと名前だけは。でも可愛い娘でしたよ」

と答えたが、妙にホッとしたような気分になった。

私は彼の研究業績、研究能力、異常なまでの研究中心主義、およびそこから生ずる他の面での利己主義をも含めて、ほとんど感動に近い尊敬の念を持っていた。この世界的大数学者の一挙手一投足からさえ何かを学ぼうと、あらゆる注意を払っていたものだ。分りやすい講義の仕方も、考える時の癖も、何もかも印象的だった。

ある時、彼と私は研究上の話をしていたのだが、私が何かを言ったとたん、彼はウーンとうなって指を唇にあてがったまま、突然私の研究室を出て行ってしまった。しばらく待っても戻って来ないので、何か私の愚かなアイデアが、彼を立腹させたのかと心配になってドアの外に出てみると、遠くの廊下で、下を向いたまま行きつ戻りつしている教授の姿が見えた。

この癖は、不思議なことに、長男で十一歳のミーヒーにもあって、ある時、山荘で私たち三人が話をしていると、ミーヒーが唇に人差し指を当てたまま、至極真面目《まじめ》な表情で食堂をぐるぐる歩き回ったり、階段を昇り降りしていた。これには三人で口を抑えたまま噴き出してしまった。パットは、

「多分、クリスマスプレゼントに何を貰《もら》おうか考えているんでしょ。あの子ったら私たちの出せる金額の最大値を知っているんだからいやになっちゃうわ」

と言って、眼鏡の奥の目を丸くして微笑《ほほえ》んだ。

ふと疑問に思って、

「子供たちはまだサンタクロースを信じているのですか？」

と尋ねると、彼女は突然声を低くして、

「ミーヒーとハーネスの二人の息子は知っているんですけど、一番下のエリザベスだ

けはまだ信じているから夢を壊さないようにしているの」

と言った。エリザベスははにかみ屋で愛らしい六歳の末娘だ。私は教授がそれを聞きながら、ゆっくり頷《うなず》いているのを見て、とても嬉《うれ》しかったように覚えている。

もっとも、翌年は彼らの意図もそう首尾よくは行かなかった。七歳になったエリザベスがクリスマスの前日に、ふと、教授の書斎に入ってしまい、そこに買い込んであったプレゼントの山を発見してしまったからだ。毎年クリスマスが近づくと、教授は書斎の鍵《かぎ》を閉めてから大学に出かけることにしていたのだが、その日だけは、何か考え事に夢中で忘れてしまったらしい。

パットがそう言って、教授の顔を恨めしそうに見つめると、彼はいかにも申し訳なさそうにしながらも、

「あれはどうも、プレゼントの中身を知りたがった次男のハーネスが、エリザベスをけしかけたのだと思っているんだがね」

と、弁解したので、パットと私は思わず顔を見合わせて大笑いをした。

カールは解雇された後、いくつかの大学に応募してみたが、大変な就職難のうえ、解雇理由がどの大学から見ても好ましいものでなかったので、未《いま》だに無職である。コ

ロラド大学の数論セミナーに毎回出席する他は、図書室や自宅で研究を続けている。夫人が精神科医として市の病院で働き、四人から成る家族の生計を支えている。有能で優しい夫人を持ったことは、本当に幸運だったと彼も述懐している。

ある日、彼の家での夕食後に夫人と話していた私は、カールの再就職に話が及んだ時に、過ぎさった悪夢を呼び起こすようで不適切かと思いながらも、

「カールがあれほど頑固に正義に拘泥《こうでい》して、いつか首になることが予想できなかったのですか」

と、ぜひ聞きたいと思っていたことを聞いてみた。すると彼女は、

「もちろん、分っていましたわ」

と、ごく平静に言った。その落ち着きぶりが私を少々興奮させたのか、思わず上ずりそうな声を抑えて、

「それならなぜ、ほんの少しでも妥協するようにカールを説得しなかったのですか。とても理解できない。この世の中では、常に正義が通るとは限らないというのは常識ではないですか。正しいことだけが正しいのは、数学だけですよ」

と、一気に言った。夫人は相変わらず落ち着いたまま、

「私も初めは説得してみたんですの」

と、静かに言った。そして、視線を落すと、少し間を置いてから続けた。

「でも、マサヒコ、分ってくれるかしら。実は私もそのうちに、彼に徹底的に正義を貫いて欲しいと思うようになったの。時には彼を勇気づけたことだってあったわ。よく考えてみたら、彼のそんな所が好きで結婚したんだということが分ったの」

と、途切れ途切れに言ってから、ホッと息をついた。大人の話を黙って聞いていた八歳の長女、バレリーが、

「パパは絶対に嘘《うそ》をつかないんでしょう」

と、長いまつげをしばたたきながら、夫人を見上げて言った。

「ええ、パパは絶対に嘘をつかないのよ」

夫人は娘のプラチナブロンドを左手で軽く愛撫《あいぶ》しながら、満ち足りた眼差《まなざ》しでそう言った。

9　精気溢《あふ》るる学生群像

アメリカの学生は知識において見劣りするが、精神的には成熟してみえる。　（コロラド大学の卒業式）

アメリカの学生も、成績にこだわるという点に関しては、日本と変わりはない。ただ、日本の学生が大学に入学してからは、それほどでもなくなるのに対し、彼らは、むしろ大学に入ってからの方が成績に一喜一憂する。それには理由がある。日本ではどの大学に入るかが、その学生の将来に大きな影響を及ぼすのに反して、アメリカでは、卒業した大学の名は、さほど問題にされない。確かに、アメリカにも一流大学と呼ばれるハーバード、エール、プリンストン等があるが、日本の一流大学とは一流の意味が少々異なる。日本の一流大学には、最優秀の教授および学生が、全国各地からかき集められていると言えようが、アメリカでは、教授は別としても、最優秀の学生が集められているとは限らない。彼ら学生たちが、或《あ》るレベル以上に優秀であることは事実だが、同程度に優秀な学生は、アメリカ中の大学に、小さな地方大学にさえも、いくらでも散らばっている。一流大学の多くが私立であるため、州立大学に比べてははるかに多額の学資を必要とするから、いくら成績抜群な学生でも、親がよほどの金持でもなければ、遠くの一流大学には行けず、地元の州立大学へ行くからである。大学の名前による差があまりないとすると、卒業時点において、他人に差をつけるには、成績を良くする他にない。従って、それに一喜一憂するのである。良い就職先を得るために、良い大学院に進学するために猛烈に頑張る。彼らは、六〇年代の学生と違って、政治運動などの形でエネルギーを外界に向けることをしないし、不景気により、就職、進学も容易ではなくなっているから、なおさら勉強に精を出す。日本の平均的学生よりはるかによく勉強すると言える。

これにはもう一つ無視できない理由があるように思われる。それは彼らが、ある意味では高校時代までに勉強らしい勉強をほとんどしてないということである。アメリカでの大学初年級の学生たちの数学、歴史、地理、科学一般等に関しての知識は驚くほど乏しい。例えば日本なら、十人中八人はアフリカ大陸の東にあるマダガスカル島の名を知っているだろうが、アメリカで試したところ、一人しか知らなかった。アメリカ史については詳しいだろうと思うとそうでもなく、私が一九〇〇年から現在までの大統領の名前を受験時代の記憶を辿《たど》って言ってみせたら、誰もが舌を巻いていた。数学の知識や実力と言ったら見劣りするなどと言うどころではなく、嘆かわしいほどだ。とにかく、何も知らないに近い。ビジネス専攻の四年生で(−1)×(−1)がいくつになるか分らない者に出会ったこともある。理学部二年生のあるクラスでは誰一人として「相加平均が相乗平均より大」であることを知らなかった。日本の高校生なら

たいていは知っているから、大いにあきれて、

「君たちは高校まで、一体何をしていたのか」

と、問うたら、口々に、

「何もしなかったでーす」

とか、

「ただ面白おかしくやってました」

と、悪びれもせずに答えたものだ。もちろん、何もしなかったと言うのは誇張であるが、知識を詰め込まれていないということだけは、紛れもない事実だ。

それでは、小学校から高等学校までの間に、学校では何を教えていたのだろうか。人に聞いた話を総合すると、アメリカの学校では、知識を詰め込むことよりも、「いかに他人と協調して仕事を進めるか」とか「いかに自分の意思を論理的に表明するか」とか「問題に当面した時、どう考え、どう対処して行くか」とか「議論において問題点をどう掘り出し展開するか」などといった基本的なことに教育の重点を置いているらしい。そのせいか、地図上で日本をフィリピンと間違えるようなハイティーンの小娘でも、議論になると滅法強い。考えがきわめてしっかりと練れており、言い表わし方も論理的であるし、そのうえ、相手の弱点を衝《つ》くのが巧《うま》い。一気に押え込もうと

して何か独創的なことを言うと、

「それは面白い見方ではあるが、あなたは数少ない現象から不当に一般的な結論を導いている」

と、言うし、どこかで聞いたか読んだ覚えのある意見を述べると、

「それは平均的かつ陳腐であり、時代錯誤でさえある」

などと言う。とにかく、この連中と口論になって相手を黙らせたことは一度もない。彼らの言うことは、確かに妥当で隙《すき》がない。しかし反面、斬新《ざんしん》さもなく、議論しているうちに、こちらの論理的飛躍を指摘する巧さだけが目に映ってくる。そこでこちらも少しずつ焦《あせ》ったり興奮してきて、ついにはボロを出したり支離滅裂なことを口走ってしまい、それをまた攻撃されるという具合で、たいていの場合は先に疲れて、あるいは馬鹿馬鹿《ばかばか》しくなって降参してしまう羽目になる。

それはともかくとして、彼らが日本の学生に比べて知識においてはかなり見劣りするのに、精神的にははるかに成熟しているように思われるのは、面白い現象だ。問題なのは、この差異が学生間だけに止《とど》まらず広く一般人にも認められることだ。暗算がロクに出来ない主婦でも、考えることは驚くほど堅実でしっかりしているし、政治家やスポーツ選手などのインタビューを聞いてみても確かに明晰《めいせき》で、筋の通った話をす

る。平均的な日本人とアメリカ人を集め、知識に関する試験をしたらアメリカ人が劣等に見えるだろうし、話し合いになったら日本人はまるで太刀打ち出来ないだろう。この差が教育によるところは明らかである。どちらの教育にも一長一短はあるが、一つだけ感ずることは、知識というものは、必要になれば学校で教わらなくとも自然に身についてくるものであるのに反し、論理的な思考方法とか表現方法は、若い時に身につけないと後になってはなかなかむずかしいということだ。しかし、この問題は、日本では受験地獄という社会現象（その善悪は単純ではない）と密接に関連しているのできわめて複雑であろう。

このように、高校までの段階で、いわゆる勉強をしていないので、大学に入って来る時には、勉強というものに憧《あこが》れに似た気持を抱いている者が多い。日本での新入生のように、受験勉強で疲れ果てているなどということがない。だから実に精力的に勉強を始める。どの教官も毎週かなりの量の宿題を与えるが、ほぼ全員が決められた日時までにきちんと仕上げて提出する。数学の宿題と言えば、問題を解かせることと決まっているが、文科系では、一ヶ月以内に分厚い専門書を数冊読了してレポートを書かせるという骨の折れるものもあるらしい。各教官が、そんな宿題を出すので合計すると大変な量になるのだが、それでも彼らは音を上げない。この習慣に慣れていなかった私は、宿題を出し忘れたり、老婆心《ろうばしん》から量を少なくしすぎたりして、学生に催促されたことが何度かある。

宿題の出来は間接的にではあれ、成績に影響するから、彼らは手を抜かないのだが、直接的に響く試験が近づくと、彼らの形相は一変する。中央図書館から各学科の図書室に至るまで、どこも朝から深夜まで超満員となり、キャンパスを歩く学生の足取りも忙しく、どこか気迫がこもってくる。

試験は小さなものを除けば各学期に二つあって、一つは中間試験（mid-term exam.）でもう一つが期末試験（final exam.）だ。この二つをめぐって数多くの悲喜劇が展開される。普段それほど学業に精を出していなかった者は、体力に物を言わせて文字通り不眠不休で試験に備える。私の学生のリチャードは、七三年秋学期の期末試験で、周囲の学生が懸命に鉛筆を走らせていたのに、彼一人だけ、ぼんやりと虚空を見つめていた。時々思い出したように、問題に目を向け何やら書き出すが、すぐにまた顔を上げてしまう。試験監督をしていた私も彼に多少注意を引かれたが、考える時の癖というのは、各人各様なのであまり気にも留めないでいた。ところが翌日になって、彼の答案を採点してみたら、全然出来ていない。中間試験や宿題の出来は、それほど悪くはなかったので、どんな成績をつけてよいものかと迷っていると、彼がひょっこり研究室に現われた。長身痩軀《そうく》な彼は、日本語で十まで勘定できる。コロラド州の空手《からて》チャンピオンなのだ。しかし、この日は顔色がよくなかった。彼は難関の医学部進学を狙《ねら》っているので、私が落第点でもつければそれで終りなのだ。あまりにしょんぼりしているので、かわいそうになって、

「ちょっとひどかったね」

と、優しく声をかけてやると、目に涙をためてその訳を語った。試験の前日になっても復習が終りそうになかったので、最後の夜を頑張り通すため、覚醒《かくせい》作用のある麻薬スピードを服用したと言う。マリファナは都市によっては合法化されているほどで、麻薬とは見なされていないが、スピードはレッキとした麻薬だ。これのお蔭《かげ》で、彼はその夜を徹夜で勉強し続けたのだが、不運なことに、ちょうど試験の時間になって、それが切れたと言う。突然睡魔に襲われたこと以外は何も覚えてないと言った。最後の土壇場《どたんば》になって、スピードに頼る学生は割合に多い。私はリチャードに情状酌量の余地ありと認め、再試験をしてやることにしたが、

「この次はちゃんと時間を計算してから飲めよ」

と、忘れずに言っておいた。

切羽詰まってもどうにもならない場合は、残された最終手段であるカンニングに訴える。カンニング（cunning）というのは、実は「ずるい」という形容詞であって、いわゆるカンニングのことを英語ではチーティング（cheating）と言う。チーティングは、日本でも盛んであるが、アメリカでもそれに劣らない。高校時代までに一度も経験しないものはほとんどいない。最近、海軍兵学校史上初めての大がかりなチーティングが摘発され、七人が退学処分、九百六十五人が再試験をさせられたと言う。方法はやはり万国共通で、一番多いのが隣の答案をこっそり盗み見るという手であるが、数学の試験では、ちょっと覗《のぞ》いたくらいでは前後の脈絡が摑《つか》めないから、この方法は効果的でない。だから、たいていは、友人とグルになって行なう。わざと隣の友人の覗ける場所に書き終えた答案を順に置いていくとか、監督の隙を見て、書き終えた答案そのものを手渡してしまったりすることが多い。当人以外の学生に気づかれても、危険はまずない。彼らは対教師、あるいは対大学当局という点で連帯意識を持っているせいか、互助精神を発揮して、お互いに見て見ぬふりをするからだ。発見された場合の罰則は、どこの大学でも厳しく、原則としては退学である。原則としてはというのは、監督教官がチーティングを発見しても、それほど悪質でない場合には、面倒を避けるため知らぬ振りをしたり、そうでなくとも単に不合格にするだけで、事を済ます場合が多いからだ。特に、隣の学生の答案を数秒間だけ横目で覗く、などというのは、捕え出したらきりがないほどよくあることなので、私などはゴホンと大きな咳払《せきばら》いをするくらいで収めてしまう。


一九七三年秋に、私はビジネス学部の学生を教えていた。彼らに日本の高校一年生程度の数学を教えるのは、どの教官もいやがるのだが、同僚の一人が、

「出来は悪いが、将来、秘書になりたがっているような可愛《かわい》い娘が一杯いる」

と言うので、二つ返事で引き受けたのだ。彼の言ったことは前半だけが正しかったことを後になって知り、大いに落胆、かつ口惜《くや》しがったものだが、それはともかくとして、中間試験を採点していて驚くようなことが起きた。全く同一の答案が二枚出て来たのである。数学の試験では、正解は唯一《ゆいいつ》であっても、それに至る過程での書き表わし方が千差万別なので、採点中に同じ物が出て来れば、学生が何人いようとすぐに目に止まる。しかも、その二枚は、念入りなことに同一個所で同一の誤りまで犯していたのだ。チーティングだ、とすぐに判断したが、こんなことは初めての経験だったので、どうしてよいものか思案に暮れた。事実を公《おおやけ》にしたら、多分退学処分となり彼らの人生は台無しになってしまうかも知れない。数年前に東部の大学で、ある数学教

授が自分の学生に射殺された事件が思い出された。念の為《ため》と思って学則をひもとくと、試験での不正行為者は即時退学、と明記されてあったので、急に怖くなってしまった。教務事務のクノピンスキー夫人に、二人の名前は伏せたまま善後策を問うと、当然と言った面持で、学部長に報告するよう要請された。私が煮え切らない態度でいると、「手続きは簡単ですが、面倒でしたら私が致しましょう。その二人というのは誰ですか」

と、迫って来るので、なぜか自分が悪事を働いたような気持になって、口実を言ってからほうほうの体で逃げ出した。日本の大学と同様、事務系の人は教官に比べ、学生に対しては厳格なのだ。同僚に聞いてみようと思いたち、廊下をはさんで前の研究室にいるエリス教授に、自分の気持を正直に述べてから対策をたずねてみると、さすがに経験豊富なだけあって、良い知恵を授けてくれた。それは、まず二人を研究室に呼び出して、厳重に警告し、それでも再度同じことが行なわれた場合には強硬手段に出る、という案だ。私はこの案をただちに取り入れた。教室で答案を返す時に、その二人を故意に飛ばし、返し終ったところで、これこれ二人の学生は翌日の午後三時に、私の研究室に出頭するよう命じた。

当日の午後、私は寛大な措置を取ることに決心していたせいか、意気高らかで、どんな二人だか知らぬが、とにかく、こっぴどくとっちめようと手ぐすね引いて待っていた。両人とも、何が起きたかは分っているはずだ。いつもにこにこしている日本人のいざという時の怖さを思い知らせてやろう、などと思いつつ、今や遅しとばかりに待ち構えていると三時少し前にドアをノックする音が聞こえた。反射的に come in と言いそうになるのを、必死に堪《こら》えた。何をどんな順序で言って、苛《いじ》め抜こうかと机に腰かけて秘策を練っていたのだが、やはり、教授としての威厳を示さなくては悪質な彼らを圧倒できまい、と考え直したからだ。椅子《いす》に坐《すわ》り直し、慌《あわ》てて机の隅にあった論文の一つを目の前にたぐり寄せ、ペンを持ってから、

「come in」

とできるだけ重々しく言った。目は上下逆様の論文に据えたままだ。把手《とって》が無器用に回る音に続いてドアが手前に、やはりぎこちなく開くのを空気の動きで感じた。

「今日は、藤原教授」

なる声を聞いてから、落ち着き払って、ゆっくりと椅子ごと身体を半回転させ、厳《おごそ》かに顔を上げた。そのとたん、私はもう少しで椅子から転げ落ちそうになった。高見山みたいな奴《やつ》が二人突っ立って、私を見下ろしていたのである。両者とも、身長一九〇センチ、体重一〇〇キロは優にある。研究室が一杯になってしまったような感じが

する。薄地のぴったりとした半袖《はんそで》シャツの下から、胸の筋肉の塊が小山のように隆起している。にょっきり出た二の腕は、松の根のようだ。顔の造りからしてごつい。獰《どう》猛《もう》にさえ感ずる。私は思わず「しまった。フットボール選手だあー！」と、心の中で叫んで握っていたペンを論文の上に落した。かなり大きな教室だったので、後方に坐っていた彼らに気が付かなかったのだ。これは大変なことになった。こんな怪物を怒らせたら、命が幾つあっても足りやしない、などと思い始めたら、さっきまでの勢いはあっと言う間にどこかへ吹っ飛んでしまった。しかし、恐怖心だけは見せてはならじと気を取り直し、唾液《だえき》をぐっと飲み込んでから、

「やあ、今日は、何か？」

と、思い切りとぼけて言った。

「はい、先生に来るように言われましたので」

二人は割合に礼儀正しく言った。これを見て、私をひねり殺しに来たのではないらしいと分ったので、多少落ち着きを取り戻した。

「ああ、そうですか。実は君たちの答案に関してちょっと疑問があったのでね」

と言って、二人の顔をうかがうように覗き込むと、心持ち青ざめている。彼らも私が怖かったのだ。フットボール選手だけになおさらだ。コロラド大学のような大きな

大学のフットボール選手は、そのほとんどが、高校時代には各州で名の通ったスター選手であり、大学から授業料および生活費として、多額のスポーツ奨学金を支給されている。そして、一般の学生寮とは異なる寮に住み、一般学生がハンバーガーを食べる時、彼らは分厚いビフテキを食べている。いわば特権階級である。もし、チーティングが報告されれば、ただちにすべての特権は取り消されることになっているし、運悪く退学にでもなったら、他の大学フットボール部は、そんな不名誉な選手など、拾ってはくれないだろう。すなわちフットボールを続けられなくなる。大学で活躍し、卒業後、プロに入ってプレーすることを、子供の頃からの夢のすべてとして生きて来た彼らの運命は、今、私の手中にあるのだ。こう考えると、私は一気に攻勢に転じた。

二人は椅子にも坐らず、顔を硬ばらせたまま直立している。

「もう分っていると思うが、君たち二人の答案があまりにも似ていたのでね。これをどう説明するつもりですか」

二枚の答案を机上に広げながらそう言った。二人は明らかにうろたえの色を見せながらも、

「えっ、本当ですか。ちょっと見せて下さい」

と、あたかも予期せぬ質問に驚いたかのごとく言ってから、大きな身体を私の机に

かぶせるようにして、自分たちの答案に視線を注いだ。私はさりげなく論文を机の端に押しやってから、二人の横顔やら浅黒く筋のぼこぼこと盛り上がった腕を見ていた。私は机の上にあった自分の白い腕を急いで引っ込めた。と、作戦を立てて来たのだろうか。

「実は、我々二人は同じ家庭教師について試験前の総復習をしましたので、解答と解法が同一になったのかも知れません」

と、元の姿勢に戻ってからよどみなく言った。しばらく質問を続けたが、頭の良さそうな方が、常に一人で答えて、もう一人はそれをすぐ後から復誦《ふくしょう》したり、ただうなずいたりしていた。念の為と思い、

「君たちは試験の時、隣接して坐っていましたか」

と聞くと、

「彼は、私の斜め前に坐っていました」

と、多少どぎまぎしたように答えた。この大男たちが、私の尋問調子に動転したらしく、ともすれば上ずりそうな言葉を、途切れ途切れに語るのを見ていて、少しずつかわいそうになってきた。出来の良い方の男は、全く自分の利益にならないことを、ただ友人を救うだけの目的でやったのだろうし、出来の悪そうな方はと言えば、どこ

からどう見ても芯《しん》から出来が悪そうなので、とてもそれ以上苛められなくなってしまった。当初は、誤りが同一であったことや、答案用紙のスペースの取り方まで酷似していたことを指摘して、徹底的に懲《こ》らしめようとしていたのだが、早めに切り上げることにした。

「私はチーティングがあったと疑っていた。しかし、君たちの言うことを信じて、今回は私が間違っていたことにする。次回の試験からは、疑いを受けぬため、離れて坐るように」

そう申し伝えると、二人は神妙な顔で、はい分りました、と言って挨拶《あいさつ》をしてから出て行った。彼らの言ったことが真実かどうかは別として、外見とは違って礼儀正しく、どこか朴訥《ぼくとつ》としていて気も優しそうだったので、私は少なからず好感を抱いた。しかし、以後、フットボール選手には特別に注意することにした。出来の良い方は、翌年チームから脱落したが、もう一方は、晴れて正選手となった。秋のシーズンには、フィールドで野牛のごとき猛突進を繰り返すのを、スタンドから懸命に声援したものだ。

試験に関して一番面倒なのは、何と言っても成績に関して文句を言いに来る学生たちであろう。日本では、こういうことはまずないのだが、期末試験が終って、その学期の最終成績が廊下に張り出された直後には、必ず何人かの学生が、

「成績について話し合いたいのですが」

と、決り文句を言って研究室に来る。いちいち相手にするのが億劫《おっくう》で、アパートに引っ込んでいると、そこにまで電話をかけてくる。一度など、アパートからも脱《ぬ》け出して、次々に映画を見て歩いた末、深夜に帰宅して眠りついたら、午前二時過ぎになって、電話でたたき起こされた。この連中の言うことには、たいていの場合一分の理があるし、とりわけ家庭の事情とか、一身上のことなどを理由に出されるとつい情が移って、言うことを聞いてしまいそうになるので、なるべくその時期には捕まらないように努力するのだ。中には、ただしつこいだけ、というのもいて、不愉快になることもある。一人のユダヤ系学生は、ある問題で正解が7/5のところを6/5としたので当然0点を与えたのだが、それが気に入らなかった。

「たったの1/5しか違わないのに、一点もくれないのはおかしい。馬鹿《ばか》げている。日本ではそんな採点をしているんですか」

と、口をとがらして言った。

「日本でもヨーロッパでも、北極でも南極でも、どこでも同じだ。間違いは間違いな

んだから。君の高校時代の先生は、そんな時には半分くらいの点はやったのか」

「半分くらい？　一点くらいしか減点しなかったですよ」

私は、この学生の挑戦的態度が気に食わなかったので、思い切って、

「じゃ君の高校時代の数学教師は阿呆《あほう》だ」

と言ってやったら、向うもムッとしたらしく、

「僕の先生はとても偉かった。あんたよりよほど偉かった」

と言って、恐《こわ》い顔をして私を睨《にら》みつけた。身体は私より少し大きかったが、金持のドラ息子といった感じで、こういうのは、昔から喧嘩《けんか》は弱いと決まっているから、こちらも負けずに、

「そんなら大学を止《や》めて、高校に戻れ」

と、一喝したら、よほど頭に来たらしく、物も言わずに出て行ってしまった。この男には翌年の秋に、フットボール競技場で、どうした風の吹き回しか、隣り合わせの席に坐ったことがあった。ところが、彼はその時、目も覚めるような美人の姉と一緒に見に来ていて、「しまった」と切歯扼腕《せっしやくわん》したことを覚えている。

また、ある学生は、私の研究室にやって来て、BをAに変更してくれと言って聞かない。訳を聞いてみると、

「Bを取ると、学生時代、数学ではいつもAだった父に叱《しか》られるから」

と、本気で言うので、開いた口が塞《ふさ》がらなかった。

最も印象に残っているのは、ビジネス専攻のある学生のことだ。彼は比較的真面目《まじめ》に勉強していたようだったのだが、期末試験の出来が悪く、私はCを与えた。ところが、しばらくしてから研究室に来て、どうしてもBに変えてくれと言う。コロラド大学では、Aを4点、Bを3、Cを2、Dを1、そして落第点のFを0点と数えて、通算平均が2を下回ると、停学または退学になる規則になっている。彼の言うには、私のクラスでの成績がCの場合には平均点が2以下で、Bなら2以上、と言うきわどい所にいるらしい。

アメリカの学生が、こういった理由を持ち出しても、そのほとんどが嘘《うそ》であることは、その時までの経験から知っていたので、私は馬耳東風に受け流していた。ところが、この男、なかなかの強《したた》か者で、こちらの態度が硬いと見るや作戦変更をして、私がいかに偉大な教授であるかとか、日本人が世界で一番頭の良い民族であるとか、お世辞を言って、ご機嫌を取り始めた。

初めのうちは、そんな手に乗るものかと頑張っていたのだが、いかにも感心したようにそういった私の喜びそうなことを話すので、単純な私は少しずつ気分が良くなって来た。こちらの微妙な変化に感づくと、男はさらにたたみかけて来た。貧乏家に生まれたため、大学で学ぶ資金などなく、高校を出てから一年間山の中で汗みどろの激しい肉体労働に従事し、学資を貯金して来たこと、今でも夏休みになるとそこで働いては一部を家族に仕送りしていること、そして退学にでもなったらこれまでの努力と人生計画が、すべて水泡《すいほう》に帰すことなどを綿々と語った。彼が、チカノと呼ばれるメキシコ系アメリカ人であることを考えると、貧困であったことは真実であると私は思った。小一時間もこういった話を聞かされているうちに、次第に情を動かされ、出来ることなら、この一人の前途ある青年を、破滅から救ってやりたいと思うようになってきた。そこで、試験成績や宿題の出来を記録したノートを取り出し、CをBに変えてやるための正当な理由がないものか探し始めた。人道的見地または同情心からだけでは、成績変更は難かしいからだ。ノートを調べて見ると、彼はCを貰《もら》った学生の中では上から三番目だった。

「うーん、三番目か。君にBを与えたいのはやまやまだが、上位二人をどうしたらよいのかな。公平であることが教師の第一条件であるし」

「先生、三人ともBにしちゃえばどうですか。それなら公平ですよ」

「いや、そうするとクラスの平均点が、高くなりすぎてよくない」

「クラスの平均点が高くてはいけない、という学則はないはずですよ、先生。藤原教授、いいですか、平均が高いということは、先生の教え方が素晴らしかったことを示すだけのことですよ。そのうえ、この三人をBにしても、先生が失うものは何もないじゃないですか！　藤原教授！」

だんだん、熱を帯びて来た。相変わらずの甘言だが、彼の言うことにさほどおかしいこともない。しかし、そうかといって、彼の個人的事情だけから成績を変更するというのが、どうも胸に引っ掛かるので、

「しかしねえ、難かしいなあ」

などと、ノートに目をやりながらつぶやいていた。一思いに三人ともBに変えてしまうか、彼だけに特別な理由を作ってBを与えるか、一切妥協しないか、三つに一つだった。

ところが、彼が熱くなって来るに従って、どうしてか、私は少しずつ冷静さを取り戻していった。各人の言うことを簡単に受け入れては、収拾がつかなくなる恐れがあるし、一度考えて決定したものを安易に変更するのが、なぜか無節操でだらしなく思えて来た。

巧妙な泣き落し戦術には危うく引っ掛かりそうになったが、その後、彼がしつこく

迫って来たので、私もやや気分を害したらしい。

と、彼は、出し抜けに、

「一〇〇ドルではどうですか」

と言った。意表を衝《つ》かれて、耳を疑いながら、

「何だって？ 何と言った？」

と聞き直すと、どう思ったのか、

「そうですか。もう少しくらいなら用意できますが。どのくらいなら」

と声をいっそう低くして言った。私は呆《あき》れると同時に、一時にハラワタが煮えくり返った。舐《な》められた、という悔しさと、こんな男の言うことを真に受けていた自分に腹が立ったのだ。男を睨みつけながら、ノートを閉じて、

「Bに変えることは出来ない。一〇〇万ドル持って来たら考えてやる」

と吐き捨てるように言った。彼は私の突然の剣幕に驚いたのか、

「いや、ちょっとふざけて言っただけですよ」

と、照れ笑いを浮かべながら、それでもやっと諦《あきら》めたらしく、帰って行った。どうにもむしゃくしゃするので、仲の良い同僚のところへ行ってこの話をぶちまけたが、
彼は、

「うーん、一〇〇〇ドルか。僕のクラスにも、そんな学生が何人かいればよいのになあ」

と言って、私をからかうだけだった。

それから数ヶ月たったある日の夜、雪融《ゆきど》けの大学の駐車場を、一人で歩いていると、私を呼び止める者がいる。警官らしい。暗くてよく見えないのだが、制服制帽に身を包んでいる。私は、思わずハッとし、身をすくめて立ち止まった。なにしろ、アメリカの警官は、すぐにピストルを撃つので有名だ。警官に、呼び止められて逃げ出したら、もうそれだけで、射殺されても仕方がないのだ。と、彼は、やあ、元気ですか、などと、大声で言いながら、私の方に歩いて来る。傍《そば》まで来ると、

「今晩は。私を覚えていますか」

と言って、にこにこしている。警察の世話になったことはなかったから、知っている警官と言えば、同じアパートに住んだジョーだけだが、と思いながら、街灯のほの暗い光を頼りに、顔を覗《のぞ》き込んだが、よく分らない。何が何だか分らないので、狐《きつね》につままれたような気分で、

「はあ、よく分りませんが」

と、言って、頭に手をやると、

「藤原先生、僕ですよ。去年、先生のクラスにいた……」

と言って、帽子を取って見せた。とたんに、その警官が例の賄賂《わいろ》未遂男であることが判明した。へっぴり虫のような顔をしていたと思っていたが、紺色《こんいろ》の制服制帽に身を整え、ピストルを腰に付けると、なかなか立派そうに見えるので、分らなかったのだ。これには、こちらも慌《あわ》てたが、何だ、あいつか、と思うと少々落ち着いて、

「ああ君か。今晩は。そんな格好だから、ちっとも分らなかったよ。今、何してるんだい」

と、聞いてみた。当時の話が本当だとすると、今頃は成績不良のため停学処分を食って、大学にはいないはずなのだが、と、思っていると、

「昼は授業に出て、夕方からは警察で働いているんです」

と、屈託なく言った。アメリカの警察が当てにならないということは、話には聞いていたのだが、私はどこか背筋の寒くなるのを感じながら、彼のにこやかな顔を見つめていた。

試験は、学生にとって、死活を賭《か》けた闘いであるが、教師にとっても骨の折れることだ。問題を作成したり、それを印刷することは、大した手間ではないが、答案の採

点は、時には、死ぬほど辛《つら》い、と思うこともある。特に、証明問題などを出すと、学生は、出来ても出来なくても、一応用紙の空白をぎっしり埋めたうえ、最後に、「以上、証明終り」などと書いてくるから、こちらは、最初から最後の一行まで、それを追わなくてはならない。学生は、教師を騙《だま》す権利を持っているようだ。それに反して教師は、ごまかされてはならないという責任しかないので、甚だ不公平だ。気を付けないと、まんまとしてやられる。例えば、証明の途中で使いたい何らかの命題を、その正当性を示すことなしに、当然……だから、などと用いるのは、よくある手だ。もちろん、その学生は、その命題の正しいことを立証できないに違いないのだが、もし万が一、彼が天才であった場合は、「当然」で済ましても当然なので、こちらも処置に困るわけだ。こういった場合、私はどの学生も天才ではないと仮定して採点する主義にしている。

字が乱雑なものも、採点者泣かせだ。日本の高校生の方が、アメリカの大学生よりは、見栄《みば》えよく、小ぎれいに綴《つづ》る。時には、暗号解読の心構えがないと、読めない手合いも出て来る。また、アメリカ人なら誰でも英語を正確に書ける、というのは、真赤な嘘だ。まず綴りの誤りだ。と言っても、発音の方は、正確に知っているのであるから、日本人のように、lとrとか、bとvを混同したり、sとthを取り違える、などのことは絶対にない。誤りの多くは、professor のｆを二つ書いたりとかの、単純なものだが、中には、日本ではまずお目にかかれないものもある。comprehensible を comprehensable, separate を seperate としたりするのは、アクセントの置かれていない母音は、アメリカでは、全部同じに発音されるからだ。軽く、あいまいにアと発音される。発音が同じだからと言うことで、I should've gone を I should of gone と書いた学生さえいた。

文法上の誤りも多い。三人称単数の動詞にｓを付け忘れたり、時には主語や動詞のない文章を平気で書いたりもする。また、I don't have any money が正しいところを、I don't have no money などとするのがいくらもいるから、初めの頃は肯定なのか否定なのか分らず戸惑ったものだ。

こういった誤りを宿題や答案に見出した時は面倒ながら、いちいち、直してやることにしていた。もっとも、一度教室で英語に関してそんな苦情を言ったら、ある学生が、

「我々は英語なんて使っていない。米語なのだ」

と、見得を切ったから、英文法をぶらさげて文句を言うこちらが悪いのかもしれない。night を nite, want to を wanna, going to を gonna と言ったり書いたりす

る国なのだから。

さて、このように頭の痛い採点であるが、問題の出し方によっては思いがけない楽しみを見出《みいだ》すこともある。ある学期に、理学部二年生に無限級数を教えていた時、有名なゼノンの逆理を問題として与えた。この逆理は、古代ギリシャの哲学者を悩ませたと言われるもので次のようなものだ。

「アキレスがA点、亀《かめ》がB点にいて、アキレスが亀を追いかけるものとする。アキレスがB点に来た時、亀は前進してC点にいる。次にアキレスがC点に来た時、亀はさらに前進してD点にいる。このようにして、アキレスはいつまでたっても亀に追いつくことは出来ない」

もちろん、駿足《しゆんそく》のアキレスがのろまな亀を捕まえることは明らかだから、上の理屈のどこかに欠陥があるわけだが、それを説明せよというのが問題であった。集められた解答のうち、正しいと判断されるものが半分ほどあって、残りは種々様々で、実はこちらを読む方が正解よりはるかに楽しかった。

ある学生は、アキレスが本当に追いつけないことを長々と数学的に「証明した」し、別の学生は訳の分らぬ哲学的論議を縦横に展開した。中でも傑作だったのは、ある男子学生のもので、次のように書かれてあった。

「たとえ論理的にはアキレスが亀に追いつけないとしても、相互間の距離が限りなく小さくなって行くことは自明である。従って充分に距離が小さくなってからアキレスは腕を伸ばして亀を捕まえてしまえばよい。すなわち、アキレスは亀に追いつく」

この独創的な「解答」にはいたく感服したので、答案の上隅に、"You are a great American!"と書いて、Aを与えておいた。

使用する言語の面から学生を特徴づけるのは、何といってもスラングであろう。教育者や言語学者は英語の退廃として嘆かわしく思っているのであるが、学生は実に頻《ひん》繁《ぱん》に用いる。それらのほとんどは、もともと、とりわけ卑猥《ひわい》な（その多くは四文字で綴られているため four-letter-word と呼ばれる）、あるいは神を冒瀆《ぼうとく》するような意味を持っているからなおさら格好良いのだ。両親の前では決して口に出さないが、学生同士の会話ではひっきりなしに、ほとんど十秒に一つくらいの割合でスラングが飛び出す。しかも原義を離れて、きわめて多目的に使われる。例えばほらばかり吹いてる奴《やつ》、いやな奴、気に食わない奴、うさん臭い奴、頭に来るような奴、どうもいけすかない奴、生意気な奴……皆 shit だ。shit のもともとの意味は、うんちのことだ。人でなくて、物事の場合も同じ shit を用いる。嘘《うそ》、ほら、みせかけ、くだらないこと、イヤなこともみな shit だ。そして、こん畜生、ばかやろう、いけね、残念、しまった、などの悪態表現や感嘆詞も、shit で間に合う。多分、現代アメリカ英語の、最重要語の一つは、この shit だろう。こんな単語は、やはり、教授たちは使わないので、ミシガンに着いて、半年ほどたつまで知らなかった。ある学生パーティで、ゲイルという女子学生が“Oh shit!”と、言ったので、

「えっ、何と言いました？」

と、聞き直したら、彼女は、私が卑猥な言葉に気を悪くしたと思ったらしく、当惑している。実際、年配の人とか、敬虔《けいけん》なクリスチャンは、こういった言葉を非常に不快に思うからだ。私が続けて、

「シットゥというのは、どんな意味ですか」

と、尋ねたら、驚きの表情になって、

「あんた、シットゥを知らないの？」

と、聞き返した。

「ええ、聞いたことがないように思いますが、スペルを教えてくれますか」

「S, H, I, T」

「見たこともない。何の意味ですか」

ゲイルは笑い出した。私がキョトンとしていると、それを見て、彼女はいっそう激しく笑い出した。と、回りの人々に向かって、

「ねえ、誰か shit の意味をうまく説明できる人いない？」

と、大声で叫んだ。数人が、ニヤニヤしながら物珍し顔に集まって来た。と、彼女はこう言った。

「stool（大便）か manure（下肥え）なら知ってる？」

「いいえ」

彼女は、弱った風に考え込んだが、すぐに、

「それじゃ、ほら、あの rectum（直腸）から出て来るものよ」

と、自信ありげに言った。

「レクタム？　それ何ですか」

と、新たに登場した単語に戸惑いながら、ゲイルの顔を覗《のぞ》き込むと、彼女は急に頬を真赤に染めた。傍《そば》にいた男が、笑いを堪《こら》えながら、助け舟を出した。

「朝起きたらバスルームで、何をする？」

これは効果的だった。私は、ゲイルの赤面したことと思い合わせて、大体理解できた。

「ああ、あれですか。尿《にょう》ではないあれですね」

と、やっと分ったので、嬉《うれ》しそうに言ったら、皆が口々にそうだ、そうだ、と言った。重要な単語だと思ったので忘れないために、

「S, H, I, T, シットゥ、S, H, I, T, シットゥ」

と、繰り返して発音練習をしたら、皆が腹を抱えて笑い転げた。

何にでも shit が使われるとは言ってもスラングを使うには場所とタイミングを選ぶことが重要だ。ある日の授業中、格好だけは良いがそれほど深くはなく、かと言って有用でもない定理が教科書にあって、それが他の重要な定理と並んで一人前の顔をしているのが癪《しゃく》に障《さわ》り、

「This is a shitty theorem.」

と言ったものだ。文字通りに訳すと、〝これはウンコみたいな定理だ〟という意味だが、実際は〝こりゃひでえ定理だ〟というような感じになる。皆、わっと笑ったのだが、授業終了後、ジョン・ライスという数学専攻の、身体は大きいが気は小さい男が廊下で私に追いつき、

「藤原先生、あの shitty という言葉は大変俗悪な言葉ですから、授業中は使用なされない方がよろしいかと思いますが……」

と丁寧に忠告してくれた。私自身、ちょっと調子に乗りすぎたかなと反省していたところだったので素直に、

「ああどうも済まなかった。学生がいつもあんな言葉を使うものだから、教室でも使っていいのかと思っちゃってね」

と言うと、

「学生同士なら全く構わないのですが、やはり教授が教室で使われるのは……」

と相変わらず礼儀正しく言った。

スラングというのは、それを聞いている者の中に一人でも不快に思う者がいる時は、決して使ってはならない、ということが身にしみて分ったので、以後、教室では一度もそういった言葉を使わなかった。もっとも、この学生のことを他の学生に話したところ、

「えっ、そんな学生が本当にいたのですか。変わった奴もいるもんだなあ。よほど四角ばったクリスチャンか、子供の頃自分の顔を誰かに shitty と呼ばれてからかわれたことでもあったんでしょう。とにかく、その程度の言葉に神経質になる者は百人に一人もいませんよ。教授が教室でそういう言葉を使ってくれると、我々もリラックスして親近感が増すから、どんどんこれからも使ってください」

と、逆に励まされた。

　このようなスラングは毎日聞かされるにもかかわらず、英和辞典にはまず載っていないから、我々外国人にとってすこぶる厄介なものだ。出会うたびに親しい学生にその意味や用法や俗悪度などを教えてもらったりした。質問される学生の方は、それらが自分たちの日常使っている言葉であるせいか、スラングであるということさえ意識していないのが普通で、私に聞かれて初めてその言葉の持つ本来の汚なさ、わいせつさなどに気がつき、面白がって笑いだしたり、説明しづらそうに赤面したりしたものだ。

　もっとも、こういったスラングをすべての学生が使っていると言うのは言い過ぎで、真面目《まじめ》な学生の中には、これらを聞いても不快にはならないが、自らは決して使わないという者もかなりいた。彼らが一様に言うには、スラングを使用すること自体は別段悪くはないが、それは単に自らの語彙《ごい》不足を露呈するだけ、とのことだった。スラングが辞書に出ていない理由は、一つにはある人々に不快感を与えるということであろうが、もう一つは、それらが生まれてはすぐ消え去る性質のものだからであろう。実際、現在、学生の使っているスラングの多くは、アメリカスラング辞典なるものにもまず出ていない。辞書に載る頃にはそれはすでに古くさくなっているわけで、学生たちにとって、もう、″かっこ良くない″のだ。

昔、学生の頃、夏休みにビクトリア王朝時代のポルノグラフィーを読んだことがあったが、肝腎《かんじん》の場面で肝腎な単語がスラング辞典にものっておらず、大いに焦《あせ》った思い出がある。もっともそういう単語は、繰り返し繰り返し出てくるので、そのうちには大体の見当が付いたものだが。そのうちの一つを、アメリカの学生たちに知っているか聞いてみたところ、誰一人知らなかったから、その単語はほんの百年で完全消滅したことになる。

その単語に関しては一つの思い出がある。ある日大学のキャフェテリアでの昼食時に、話題がスラングに及び、よもや誰も知るまいと思って私がこの単語を口に出した。ところが、案の定アメリカ人教授連は誰一人知らなかったのだが、運の悪いことにケンブリッジ大学出身の高名なエリオット教授がそれを知っており、得意になって皆にその意味を説明し始めたのには全く参った。テーブルを囲む全員が、″かくもワイセツなる言葉をかくも高潔なる東洋の聖人君子が知っているとはいかに″という風な目で私を見るのだが、いや、見ているように感じたのだが、まさかポルノグラフィー熟読の成果とも言えず、消え入りたい気持だった。

アメリカ学生と日本の学生との間には、多くの共通点が見出《みいだ》せるが、アメリカ特有の現象も幾つか存在する。中でも人種現象には注意を払わねばならない。日本のような単一民族に近い国では考えられない種々様々の複雑さが見られる。特に教師たるものの、人種に目覚める必要がある。例えば、学生の各々がどんな人種に属しているかを正確に知ることは、文化人類学的に興味深いだけでなく、それにより頻繁に口を飛び出すジョークの種類にも、ある特定のグループを傷つけないよう気遣うことができる。また、あるグループの学力向上のために、個人的接触の機会を意識して多くしてやることもできる。

このようなことを早期に見抜くことが、アメリカで良い教師になる一つの条件のようにさえ思える。さて、そうなると、見分けることが問題だが、黒人はまず誰にでも簡単に見分けられる。一度、金髪碧眼《へきがん》の「白い黒人」の女性にパーティで会ったことがあるが、やはり鼻から口にかけて微《かす》かに、黒人特有の特徴があり、見抜くことはそれほど難かしくはなかった。チカノと呼ばれるメキシコ系は東洋人とも西洋人とも違うので、たいていの場合に分りやすい。アラブ人も難かしくない。やはり、白人の中でそれぞれの系統を知ることが一番難かしい。というのは、もともと大変類似しているうえに、多くは既にミックスされてしまっているからだ。イングランドとフランスとドイツの混血を、アイルランドとイタリアとポーランドの混血から見分けるのは全く不可能である。かろうじて見分けられるのは、ユダヤ系くらいであろう。黒に近い焦茶色《こげちゃいろ》の頭髪で、鼻筋高く自信満々で、眼光鋭く睨《にら》みつけている学生がいたら、それは大概ユダヤ人である。多くの場合、彼らは中流階級以上の家庭出身であり、勤勉に学業に励むので成績も良い。また、かなり理屈っぽいところがあり、時には他人に不快を感じさせるほどに自己中心的で、物事にはあくまで執拗《しつよう》であり、頭脳も明晰《めいせき》だ。なるほど、素晴らしいユダヤ系学者が多いわけである。学者になるための条件を完全に満たしているのだから。

平均的に言って、ユダヤ人子弟の学業成績が日系などと並んで、アメリカにおける他のグループより良好である、というのは周知の事実である。

私は何度かユダヤ系学生に、

「ユダヤ人の平均的知能は他の民族のそれに比べて多少優れていると思いますか」

と、聞いたことがあったが、そのたびに強く否定された。彼らは判で押したようにこう言う。

「長いユダヤ人迫害の歴史の中で頼るものは自らの知恵だけだった。何千年もの間、土地の所有さえ禁じられていたから、生存のためには、自らを教育や知識で武装する以外になかった。それゆえ伝統的に、常により高い教育を目差し勉学努力する、という習慣を身につけているのだ。すなわち、ユダヤが多くの学者や芸術家を輩出させるのは知能の差と言うより習慣や価値基準の違うためなのだ」

確かに、ユダヤ人家庭における親の教育熱心は有名である。ボロを着せても一冊でも多くの本を子供に与えようとするそうだ。しかし、だからと言って、彼らがすべて環境だけのせいと本当に信じているとは思えない。彼らはきわめて複雑な心理を持っている。額面通りに受け取ると誤解をする恐れがある。迫害の歴史が、彼らに自衛本能を発達させた。「ユダヤ人は冷酷非情な守銭奴である」とか、「ユダヤ人はずる賢い」などという中傷に始まり、「ユダヤ人はキリスト教の敵だ、人類の敵だ」などのデッチアゲが歴史上の至る所で登場しては彼らを差別、虐待《ぎゃくたい》した。時の為政者は、彼らを scapegoat（すべての罪を一身に背負わされたヤギ）として事あるごとに利用、攻撃した。従って彼らは、「ユダヤ人は……」という表現に神経をとがらしている。それが新たな攻撃材料とならない保証は何もないからだ。だから彼らは、「ユダヤ人は他の民族と何の変わりもない。成績が良いのは勉強を重視するという家庭環境による」と常に言う。しかし、内心では、自分たちが本質的に優れていると思っている。自分が賢くなくても他のユダヤ人は賢いことを誇りに思っている。そしてそれは、ある意味で無理のないことだ。例えば、ユダヤ人を除いた現代の数学や物理学というものは考えられない。アメリカの一流大学における数学者のうち、ユダヤ系の占める割合は相当に高い。統計を見たことはないが、ミシガンおよびコロラドでの感触から言うと、少なくとも三分の一はそうであるように思う。彼らの人口がアメリカ全人口の三パーセントにも満たないことを考慮すると大変に高い割合だ。

彼らが誇り高い人々であるのは事実だが、同時に、自分がユダヤ人であることを、意識して、または無意識に、隠そうとする傾向があるのも事実である。保守的なアメリカ人の中には未《いま》だにユダヤ人を蔑視《べっし》したり、嫌悪《けんお》する者がかなりいるから、不必要な摩擦を起こしたくないのだ。

ユダヤ系アメリカ人は自分たちが民族として注目されることにきわめて神経質になっている。石油ショックの時、私のクラスで最優秀だったユダヤ系学生ディックは次のように言っていた。「アメリカ国民の不満や怒りが、アラブ諸国に向けられている間はよいが、それがいつかは、アラブを興奮させているイスラエルに、そしてひいては、アメリカのユダヤ人にまで向けられるに違いない」

彼は、ガソリンの値段よりもそれを本気に心配していた。中東戦争に関してはイスラエルを断固支持していたが、同時に、紛争の起こるごとにユダヤ人が民族として注目されることに当惑の色を見せていた。

ほとんどの事柄に関してきわめて饒舌《じょうぜつ》かつ攻撃的な彼らが、事がユダヤ人問題になると、一変して寡黙《かもく》になる。反ユダヤ的発言がマスコミを通じてなされることもあるが、そういった偏見に対してユダヤ人が公に反論することはまずない。彼らは黙殺するのが最善の道であることをよく知っている。もし反論したりすると、騒ぎを大きくして自分たちが民族としてクローズアップされる怖《おそ》れがあるからだ。

とにかく摩擦を避けること、それが彼らに処世訓としてしみついている。彼らの多くは東ヨーロッパやドイツ出身なので、姓を聞けばユダヤ人であると判断できる場合が多いが、顔や姿からだけでは難かしいことがある。私の友人にはなぜかユダヤ系が多かったが、そのうちの何人かは金髪碧眼であった。法学部学生のジャックはそんな一人で、聡明《そうめい》で自信に溢《あふ》れた男であったが、「実は僕も自分がユダヤ系であることを故意に隠した経験が何度かある。そんな後には決まって自己嫌悪に陥ってしまったが」

と言って、顔を曇らせた。

彼らにしばしば見られる自信過剰、攻撃的性格、執拗さなどは、初めの頃は鼻持ちならぬと感じていたが、彼らをより深く知るに従って、私の考えは変わって行った。

私の知っているユダヤ人は、その心底においては、日本人と同じように感受性の強い、人情味ゆたかな人々であった。深い歴史的傷痕《きずあと》から来る幾つかの相違を除けば、多くの点で我々日本人と驚くほど似ている人々であった。彼らは自分たちを不当な攻撃から防護するために常に警戒し、身構えていなければならない。そんな姿勢が彼らに積極性、攻撃性を与え、そしてそれが時には、人々の誤解を招くのだ。

彼らの誰もが、迫害の歴史が完全に終ったとは信じていない。いつ再び始まるかも知れないという恐怖、または緊張感を胸の奥に持っている。

古代においてならいざ知らず、文明文化の極度に発達したこの現代二十世紀のヨーロッパで、ユダヤ人がいかに大量虐殺《ぎゃくさつ》されたかを考えれば、誰も彼らの恐怖を単なる杞憂《きゆう》と片づけることは出来ないであろう。数十世紀にわたるまさに気違いじみたとしか言いようのない迫害、およびそれに耐えてきた、いや耐えねばならなかったユダヤ人を思う時、私はほとんど冷静でいることは出来ない。

教室における人間現象を複雑化するものは人種の他にもある。例えば、ベトナム帰還兵だ。教室の隅でふてくされた風に教師を睨み据えていたり、時に、空虚な眼差《まなざ》しで何かを考えていたりして、周囲の者より少し老《ふ》けて見えるのがいたらベトナム帰りと疑ってよい。彼らは普通の学生より三、四歳年を取っているせいか、妙に落ち着き払っていて豊かなあごひげをさすっていたりするのだが、たいていの場合、特殊な体験から来るのだろうか、何らかの精神的問題を抱えている。

学生としてはきわめて扱いにくいので、同情すべきだとは十分に納得してはいても、正直なところ、そういうのを見つけるたびに、「ああ、またお荷物か」と溜息《ためいき》をついたものだ。

ベトナム戦争の修羅場をくぐり抜けて来た自信と落ち着き、大量殺戮《さつりく》を犯した罪の意識、戦争を知らない他学生への軽蔑《けいべつ》と羨望《せんぼう》。そして何よりも、戦場という一極端から、平和で豊かな消費文明を貪《むさぼ》りつつある祖国という他極端に突如連れ戻されたこと、それによるカルチャーショック。とにかく、こういった要因により、彼らの頭脳と精神は手の付けられないほど攪乱《かくらん》されており、実際、教師としても手の施しようがないのだ。そのうえ、私などは年齢が近いので相談に乗ってやろうと思ってもつい躊躇《ちゅうちょ》してしまう。

ベトナム帰りで大学に戻って来るこれらの者は、頭はまあ中以上の部に属すると思われるのであるが、困ったことに無気力で全く勉強をしないというのが多い。従って、当然成績は悪く、その上さほどそれを気に留めず、何かにつけて教師には反抗的だ。また、無口なのが多いので、なおさら無気味だ。そんな学生の一人が私の研究室を用事で訪れたことがあった。

「君はベトコンを殺したことがありますか」

「ええ、沢山」

「どんな気持でしたか、その時は」

「別に」

「良心的兵役忌避と言うのがありますが、どう思いますか」

「信じないね」

「親しい友達を敵に殺されたという経験はありますか」

「何度も」

「ベトコンというのはどんな顔つきをしているんですか」

「あんたみたいな」

私は話しているうちに、薄気味悪くなってしまった。

授業中、何かの冗談で皆が爆笑している時に表情も変えずに私を睨んでいた者もいた。彼らは常に教室での特異点であり、私の注意を引いたが、そんな若者を見るたびに、アメリカに食い込んでいるベトナム戦争の傷の深さ、そして生き残った者をもこれほどまでに変えてしまう戦争という怪物の怖ろしさに戦慄《せんりつ》を覚えた。

さて、こういった学生の構成内容に対し、アメリカ人教授が一般的にそれほどの興味を示さないように見えるのは不思議に思えてならなかった。

そんな興味は口の悪い人に言わせれば、「のぞき趣味」と片づけられるかも知れないし、私もある程度それを認めざるを得ないが、やはり真に良心的な教師であるためには、自分の学生の本質について知る必要もあるのではないかと思えるのだ。もっとも私の場合、やはり、教師の領域を少々逸脱していたかも知れない。と言うのは、私は、研究室で暇な時などに、クラス名簿を片手に誰がユダヤで誰が北欧か、誰が東ヨーロッパで誰がベトナム帰りかなどということをあらゆる情報を総動員しては、推理小説を読むような気持で頭をひねっていたこともよくあったのだから。そして研究室に質問に来た学生には、必ず、それとなく出所由来を聞いたものだ。たいていの場合、学期の終りまでには、大半の学生のほぼ完全な目録を作り上げていた。もちろん、民族的由来などはあまり単刀直入に聞くと失礼に当ることもあるのだが、それにもかかわらず、私がその点でほとんど困難を見なかったのは、黄色人であるということが大きな助けとなっていたからだと思われる。いや、むしろその事実を、つまり自分が黄色であるがゆえにそういった無礼が許されるであろうことを、心中で意識しながら質問したという方が事実に近い。

クラスの学生の完全把握《はあく》という教育上の大義名分があったとは言え、用いた手段の、ある意味での狡猾《こうかつ》さからくる後味の悪さは、そんな時にしばしば感じたものだった。

試験と宿題に追われながら精力的な勉強を続ける学生たちも、時には羽目を外し大いに若さを発揚することがある。一九七四年が明けて間もなく彼らはきわめて珍妙な遊びを発見した。ストリークである。これほど単純な遊びは他にないであろう。全裸になって(と言っても運動靴と靴下は着けているが)走り回るだけのことだ。風呂場《ふろば》ではなく戸外を走る。これが突如として全米各地の大学で流行しだした。昔から大学生の間には電話ボックスに何人詰め込めるかとか、生きた金魚を何匹飲み込めるか、などといった伝統的遊びはあったが、このストリークはその名と共に耳新しいものだった。屋外での裸体が社会的に容認されなくなってから、最初のストリークはいつ誰によって行なわれたのだろうか。諸説紛々で定かではないが、一説によると、紀元前四世紀にトロイを訪れたアレクサンダー大王とその友人たちが、アキレスの墓に詣《もう》でた際、古代の風習にのっとって墓の回りを裸で走り回ったのがその起源という。またある人は、紀元前二一二年に有名な浮力の原理を発見したアルキメデスが、歓喜に我を忘れ風呂から飛び出して走り始めたのが最初という。現代では一九六五年に、春休みを利用してメキシコ国境に遊びに来ていたコロラド大学の十五人の学生が、ビールの勢いで、全裸のまま国境線を突破したのが記録に残っている。

一九七四年の流行は、ノースカロライナ州あたりで始まった。数人の男女学生が裸で、驚く人々を文字通り尻目《しりめ》に、真昼間の繁華街を走り抜けたり、ラッシュアワーの道路で渋滞した車の間をぬって横切ったり、女学校の廊下を全速で走り回ったりした。これらがニュースの話題にのぼるや、またたく間にアメリカ中の大学に伝染病のように広がり、そのうちには、ただ走るだけでは珍しさが足りないと思ってか、裸のまま凧《たこ》にぶら下がったり、スキー場のアスペンでは、山の頂上から七人の男女がスキーとスキー靴だけをつけて麓《ふもと》まで滑り降りたりした。もっともこの時は、一人の男が皆の見ている前で転倒し、大いに同情を買ったと聞いた。

最近のアメリカでは、それがどんなことであっても、世界記録を作るというのが大流行である。ほとんどは実にくだらないもので、例えば、連続ナワトビの回数、持続時間とか、キス最長時間などはまだマシな方で、何メートルの高さの所から落されたアップルパイを壊さずに受け取ることが出来るかとか、唐辛子《とうがらし》を何個食べられるかとか、何時間拍手を続けられるか……等のナンセンスなものが数限りなくある。これらの記録は、適当な証人、または証拠があれば世界記録として公認され、そういった記録ばかりを集めたギネスという本に収録されるのである。

いくつかの大学が、ストリークの参加者数の世界記録を競った。三月中旬にはコロラド大学が、それまでの記録である千人を破るために立ち上がった。二週間ほど前から、学生新聞であるコロラド・デイリーには全学生に参加を呼びかける広告が連日のごとく現われた。人々の関心を引くため、数人によるストリークが何度か行なわれた。気運は次第に高まって行った。

当日は、午後九時に寮の中庭に集合することになっていた。前宣伝が効いたせいか、世界記録樹立の瞬間をこの目で確かめようと、ヒマで物好きな人々が八時頃から続々と大学にやってきた。むろん、私は七時過ぎには行って待っていた。若い中学高校生から初老の夫婦に至るまで、ありとあらゆる世代の老若男女《ろうにゃくなんにょ》でさしもの広いキャンパスも、ごった返していた。どの人も、酔狂なことに氷点下の寒さの中を、厚いオーバーを着こんで、わざわざ見物にやって来たのだ。八時半頃に中庭に行ってみると、既に裸の学生が二百人くらい集まっていた。暗くてよく見えなかったが、ほとんどは男子学生のようだった。輪の外側に立っている人々はいかにも寒そうだが、中の人はそうでもないらしい。白い吐息があちこちから揺れ昇って行く。これではとても千人は越すまいと思って遠くから見ていると人数は少しずつふくれ上がり、定刻の九時少し前になると中庭を取り囲んでいる幾つかの寮から一斉に男女が走り出て来て、全員集合した。

リーダーらしき男が小高くなった玄関の上に立ち上がって短い演説をし、最後に何かを叫んだ、と思うと、至る所から、ときの声が湧《わ》き上がり、それと同時にグラウンドの方に向かって走り始めた。妙なもので、皆、興奮したように、口々に何か叫んでいる。枯芝の中庭が地響きする。私も何となくつられて走り出したが、見物の群衆も引きずられたようにその後を追って走り出した。私も何となくつられて走り出したが、気が付くと群衆の先頭を走っていた。広いグラウンドに出るとそこには歴史的光景を目撃、記録しようと、各地から集まった報道陣が何台もの照明車の上からカメラの砲列を敷いていた。明るく照らされた部分に入るたびに、裸体が乱舞する。その外では白っぽい物体が走り回っているくらいにしか見えない。記録写真を撮ろうとカメラ持参の観客もいる。彼らはグラウンドで幾つかのグループに分れた後、そのうちの一つがフットボール場に向かって走り出した。私は大した理由もなく、このグループの後を追いかけた。彼らは身軽だから大変速く走る。こんなに走るとは思ってもみなかったので分厚い防寒ジャンパーを着こんだ私は息が切れて汗ぐっしょりだった。

少し遅れて着いてみると、彼らはフィールドを一周してゴールポストの下に集まっていた。かなり激しく走ったのだろう、白い息が、短い周期で強く吐き出される。初めの緊張感はなくなり、笑い声が随所に起こる。中にはカメラの前で仲良くポーズを取っている恋人同士もいて和気藹々《あいあい》だ。と、彼らのうちの数人が何かを叫び出した。それはすぐに広がり、総勢二百人くらいの彼らが回りを取り巻く群衆に対して参加を呼びかけ始めた。統制が取れないらしく各自がてんでなことを怒鳴っている。

「我々に加われ！」

「参加しない奴《やつ》は臆病者《おくびょうもの》だ！」

「歴史的事件に加われ！」

ついには、

「参加しないということは、ニクソンを支持するということだ！」

などと言う奴も出て来た。私が大笑いしていると、すぐ隣で見ていた男が、

「連中の最も怖がっているのは、写真を撮られて故郷のママに送られることなんだ」

と教えてくれた。

観衆の中には扇動されたのか、ストリークに加わる者もちらほら出て来た。周囲に、あまりに裸が多いと、洋服を着ているのが罪悪であるかのような妙な気分になってくるものだ。そのうえ裸で走り回っているのを見ると、いかにも気持良さそうだ。私は

もう少しで参加したくなるのを必死に堪えていた。学生にでも見つかったら大いに冷やかされるだろうという不安と、ここは教室の中ではないから、教師といえども自由はあるはずだという気持の間をさまよっていた。と、すぐ前にいたヒゲもじゃの男がいきなりパンツ一枚になり、あれよという間にそれさえも脱いでしまったのだ。これを見ていたら何とも気持悪くなったので、それっきり参加することはあきらめた。

彼らはひとしきりシュプレヒコールなどで気勢を上げると再びグラウンドに走って行った。私はもうへとへとで追いかけることは出来なかった。ゆっくり歩いていると寮の方でサイレンが鳴り響いた。見ると、寮のすぐ前に救急車が止まっていてパトカーが二台、屋根の赤ランプを点滅させながらその後に止まった。私は疲労を忘れ、またしても一目散に走り始めた。学生が警官と衝突して怪我人《けがにん》でも出たのだろうと思った。裸体をみだりにさらすことはワイセツ行為として不法だから、当局が学生の一斉逮捕に乗り出したのかと思ったのだ。救急車の回りには既にかなりの人数が集まっていたが別に乱闘のあった形跡はなく、数人の警官が弥次馬《やじうま》の整理をしていた。しばらく待っていると寮の中から毛布にくるまれた女子学生が担架で運び出されて来た。この寒さの中を裸で激しく走り回ったため、心臓発作を起こしたらしいと誰かが言った。命に別条のなかったことは翌日のコロラド・デイリーで知ったが。

主催した学生の発表によると合計千五百人の参加者がいたのだから、キャンパスの至る所が裸だらけだった。私の頭は完全に混乱していた。毎日、シュミット教授などと、数学の話をしながら昼食に向かう、その同じ道を今は、裸の人間が当り前のような顔をして走ったり、歩いたり、談笑しているのだから。最初のうちは物珍しさや好奇の眼で見ていたのだが、短い時間に千人以上もの裸を見てしまったせいか感受性がマヒしたらしかった。ただ、浴場の中を衣服を着けて歩いているようなもどかしさを感じたことと、普段のキャンパスを想像するたびに頭が狂いそうになった他は何の感興も湧かなかった。

疲労困憊《こんぱい》してアパートに戻って来たがまだ酔ったような気分だった。ソファに坐《すわ》って一息入れると何となく物足りない気がする。参加したかったのを無理に抑えたせいかストレスが高じていたのだろう。ふと、自分がストリークをしたい、と強く感じているのに気づいた。そして、今、この時を逃したら生涯そのチャンスはやって来るまい、と思うやいなや裸になって部屋を飛び出した。運動靴とソックスを着けるというのがどうも腑《ふ》に落ちなかったので日本式に裸足《はだし》になった。

さて飛び出したのはいいが、やはり裸というのはそぞろ頼りない。ポケットがないため、二本の腕は宙ぶらりんだが、これがいけないらしい。人間の手という奴はそれが何かを掴《つか》んでいないと当人を妙に頼りなく不安にさせるらしい。などと考えていたが、いくら一生一度のチャンスとはいえ、隣近所の顔馴染《なじみ》のおばさんに出くわしたりしたら破局的だと思うと知らず知らずに忍び足になる。廊下を通り、階段を降りて外に出てみると思ったほど寒くはない。氷点下の気温も気力さえ充実していれば裸でも寒く感じないらしい。時刻は既に真夜中を過ぎていたから人に見つかる心配は多分ないだろうと思っていたが、それでも用心して、まずはJ棟のぐるりを一周しながら辺りの様子をうかがうことにした。芝生の上は気持が良いが、通路の砂利の上は走りにくい。各部屋の明りはほとんど消えているし、そうでなくとも厚いカーテンがかかっている。道路の方に目をやると人はもちろん車も通らない。階下で飼っているやかましい小犬に、こんな格好で吠《ほ》えられたらどうしようと心配していたが、もう眠っている様子だ。棟を一周すると勇気を出して道路の中央に走り出た。

この道路は直径一〇〇メートルほどの円を描いていて、周囲のアパート群から見下ろせる位置にある。毎日、かさばった衣服にくるまった人々が身をこごめて歩く所を、一糸まとわず堂々と走り回るというのはすこぶる気分が良い。解放感だけではなく優越感さえ感ずる。まだ春は遠いはずなのに、肌に触れる空気は春風の柔らかさだ。こんな素晴らしい、爽《さわ》やかなことがこの世にあったのか、などと思いながら遊園地の所まで来ると、誰か、遠くから声をかける者がいる。私は胆《きも》も潰《つぶ》れんばかりに驚いて瞬間的に棒立ちになった。そんなことはないと確信していたので、誰かが見ていたということにまず仰天した。そしてすぐに、もし、それが意地悪な奴で、世間の風評を気にするアパートの所有者とかマネージャーに報告でもされれば今夜のうちに追い出されるかも知れないと考え、急に不安に襲われた。まず頭に浮かんだのは全力で逃げ出すことだったが、この格好では逃げ込む所もないと思って諦めた。恐々《こわごわ》と声の方を探すと暗闇《くらやみ》の中にどうやら男女らしい二つの影が見えて、それが私の方に勢いよく走って来た。私は身をこわばらせて直立していた。ところが彼らが道路沿いにある水銀灯で明るくなった部分に入るや、たまげてしまった。運動靴とソックスしか身にまとっていなかったのである。二人とも若い。

「やあ今晩は。我々もストリークをしようと思ってたんだが勇気がなくてね。あんたがやり始めたのを見て夢中で飛び出して来たんだ。あっそうそう、僕がディックで彼女がキャシー」

慌《あわ》てて駆け下りて来たのだろう、息せき切ってそう言った。これを聞いて私は安堵《あんど》の胸を撫《な》で下ろしたが、格好が格好だし、何も道路の真中で、しかも大声で自己紹介までしなくともよいのにと思いながらキョトンとしていると、予期した通りに、

「僕たちも一緒にストリークしていいかい」

と言った。良いも悪いもない。

「もちろんさ。僕はデミアン」

三人は並んで走り始めた。私が戸外に出てからものの三分と経《た》たないうちに参加者が現われたことが面白かった。この連中も大学へ行って、なぜか欲求不満になって帰って来たと言った。そして、人間は裸になること、すなわち、自然に帰ることによってのみ肉体と精神を真に解放することが出来るなどと、どうでもいいことを、人に気づかれねばとそれだけを心配している私をよそに、相変わらずの大声で話していた。一人でする方が気持は良いが三人の方が楽しい。半周ほどすると、一台の車が走って来た。ハッと緊張したが三人なので気が強くなっていたせいか、身を隠すでもなく芝生に立って見守っていたら気づかずに通り過ぎて行ってしまった。一周すると、もやもやしていた気分が一挙に吹き飛んでしまったようだった。部屋に戻って温かいシャワーを浴びてから窓の外を見ると二人はブランコに揺れながら、まだ遊んでいた。この道路をストリークしたのは自分が世界で初めてだと思うと大いに誇らしく感じた。

翌日の新聞には大学でのストリークの模様が大きく報道されていた。学生側は新記録樹立を発表した。千五百人というのは少し誇張だと思われたが。また、ある新聞記

者は、ストリークの際に交通整理をしていた警官に、なぜ、全裸の学生たちを逮捕しないのかと質問した。警官は首をすくめて、

「裸の男と取っ組み合いすることを思うと、もうそれだけでイヤになっちゃってね」

と答えた。一週間ほどしてから届いた母からの手紙の結びに、

「日本でもコロラド大のストリークの記事が新聞に出ていました。お前がいくらおっちょこちょいでも、あんなものに加わるほどではないと安心していますが」

とあった。ストリークの火は、この大記録を最後に、嘘《うそ》のようにあっけなく消えてしまった。翌日の大学には、一段と引き締まった寒気の中を、教科書を小脇《こわき》に抱えた学生たちが、防寒着に身を固め忙しげに歩いていた。

すぐに中間試験が始まるのだった。

10　アメリカ、そして私

「私のアメリカ」は太平洋で生まれ、大西洋で蘇り、サンフランシスコの霧に沈んだ。　（帰路途中のアリゾナの砂漠）

「こんなことは考えられなかった」

大学院博士課程で教育学を専攻するジェーンは、ストリークを目前に見ながらそう言って首を横に振った。全裸の学生たちの走り回る同じキャンパスで、同じ街路で、数年前の彼女は警官隊の投げる催涙弾と闘った。スチューデントパワーの吹き荒れた六〇年代には、彼女も他の学生と同じように理想主義的な大学生だったのだ。しかし今ではやはり他の学生と同様に、政治には一切の関心を示そうとしない。「六〇年代理想主義者のなれの果て」、そう言って彼女は半ば自嘲《じちょう》的な微笑を浮かべた。今のキャンパスには体制を攻撃した激しいビラも、アジ演説も、反戦の歌声もなく、昼休みの構内に見えるのはもの憂《う》げに芝生に寝そべる者や、食堂でパンをかじりながらも本を離さない者ばかりだ。一体何が起こったのだろうか。ベトナム戦争が終って政治運動がその目標を失ったと言うだけではないらしいのだ。彼女に言わせると最近の学生は、「すべてに幻滅している」のだ。

アメリカには昔から出世物語《サクセス・ストーリー》と呼ばれる文学のジャンルがあった。そこでは無名の少女が大スターに、小学校も満足に出なかった少年が大実業家や大発明家に、貧しい家に生まれた少年が世界的科学者に、そして大統領になった。それらは学校や家庭で繰り返し話し聞かされ、少年少女の夢を駆り立てた。しかし現在の学生たちはこう考える。科学者になったところで科学の発展という美名の下に人類の非人間化を推進させる役に立つだけだし、政治家や大会社の社長になっても単に権力や富を手中に入れるだけで真の幸福は得られまい。たとえ目標や理想を掲げて進もうとしても現代の巨大な社会機構においてはどうにもなるまい。よくてドン・キホーテの二の舞だ。従って人生に大目的などを見出し、そのためにあくせく努力するのは無意味だと考える。彼らは出世物語には飽き飽きしたし、政治、経済、学生運動、地域運動等にも飽きてしまった。もう手に触れるもの以外に信用しようとしないのだ。関心を持っているものと言えば自分およびそこからごく近い所にあるものだけだ。成績、恋人、家族、酒、マリファナ、音楽、スポーツなどだ。いわゆる幸福をそれほど追求しようとも思わない。そんなものは手で触れられないものだから初めから信用していないのだ。それよりも、たとえ刹那《せつな》的であっても、精神的安らぎ、満足感、安定感などを求める。大学を卒業後、金が必要になったら働いて、あとは遊んで暮そうと思っている者もいた。有能な女性と結婚して家で子守りでもしながら好きな絵を描いていたいと思っている者もいたし、山の中に入って少々の農業の他は何もしないで暮したいというカップルもいた。このカップルにその理由を尋ねると、「誰の世話にもならず、誰の迷惑にもならない生活が欲しい」と言った。どうやって食べて行くのかと聞くと、「食料は町のスーパーマーケットのゴミ箱を探せば、古くなって売物にはならないが、まだ食べられる卵、牛乳、野菜などがいくらでもある。去年の夏休みはそうやって暮したがすこぶる快適だった」

とケロリとして言った。

その一方では、同じ理由から学業にだけ精を出す学生も多い。彼らは特別な大志を抱いているわけではなく、有利な就職をして、経済的に安定することが先決だとごく現実的に割り切って考えているだけだ。特に、不景気風の吹き始めた七三年頃から、こんな学生が多くなった。彼らは外界の雑音には一切耳を貸さず、ただひたすら図書館にこもって勉強をする。

ジェーンは、現在の学生が五〇年代の学生に類似していると言う。社会的問題への興味を示さず、良く学び良く遊ぶという当時の学生気質が蘇《よみがえ》りつつある。六〇年代、ベトナム反戦運動と市民権運動の渦巻いていた時代の学生とは全く異なる。しかし五〇年代とそっくり同じかというとこれまた本質的な点でかなり異なるのだ。まず言えることは、当時の学生が強い自信を持っていたということであろう。自分たちの知恵と力でアメリカを、そして世界を良い方向に指導し、変革することが可能だと信じていた。

そんな信念、そして自信はどこに、何故に消え去ってしまったのだろうか。それには、幾つかの原因が考えられる。六〇年代の反戦闘争を通して、結局は、世の中は自分たちの手の届かない所で自分たちの意志とは無関係に決定され、そしてなるようにしかならないことを知ったこと。すなわち、挫折感《ざせつかん》と無力感が第一である。

第二には、七〇年代に入ってのベトナム敗戦であろう。この戦争で、ありとあらゆる近代兵器で装備された米軍は、裸足《はだし》のベトコンや、北ベトナムの自転車部隊に、歴史上初の敗北を喫した。その劇的終結は、どのアメリカ人にも一様に、面倒なことがやっと終ったという安堵感《あんどかん》を与えたが、同時に、心の底に複雑なショックを残した。彼らはアメリカが万能のスーパーマンではなく、世界の警察ともなり得ないことを初めて知った。彼らはそれまで、自分たちが世界のどの国の人々より強い力と正しい判断力を持っているとうぬぼれていたのだが、それが無残に打ち砕かれた。力への信仰の崩壊と自信の喪失。第三には、ウォーターゲイト事件、CIA陰謀等の相次ぐ暴露により、自らが世界の自由主義、民主主義の旗手でも教師でもなかったこと、そしてなり得ないことを発見したショック。すなわち、自尊心の瓦解《がかい》。

これら三つが、自信喪失の言わば外部要因と言えるだろう。これに加えて、「夢」に対する幻滅という内部要因がある。超高層ビル街、網目のように張りめぐらされた高速道路、高級自家用車、肉や果物で一杯の超大型電気冷蔵庫、芝生の庭と全館冷暖房の瀟洒《しょうしゃ》な家、フロリダやカリブ海でのバケイション……。世界中の誰もが夢みたものばかりだ。六〇年代の後半にアメリカは人類の〝夢〟をほぼ達成したとさえ言える。しかし、実現してみると、それはなぜか空虚で味気ないものであった。それは幸福をもたらすはずのものだったのだが。

人々は惑い、そして幻滅を感じた。と同時に、それまでの目標を失ってしまった。アメリカの歴史を通して、その発展力は常にフロンティアの存在であった。初期においては、それは東部海岸地帯であった。YOUNG MEN, GO WEST! の合言葉と共に、未知の素晴らしい何物かがこの先にあるはずだ、という確信によって人々は西へ西へと向かった。大西洋岸から出発したフロンティアは年月をかけて西漸《せいぜん》し、十九世紀末までには太平洋に達した。二十世紀に入ってからのフロンティアは工業化、近代化、民主化、教育の普及などによる豊かな社会の建設であったと言えよう。そしてそれも完成した。と同時に、その結果としてフロンティアを失った。彼らは、どちらに向かって進んでよいものか五里霧中で立ちすくんでいる。こういった外的、および内的要因が、若者を包んでいる漠然とした憂鬱感《ゆううつかん》の主要原因のように思える。従って五〇年代の学生と同様に良く学び良く遊ぶと言っても、当時の学生の視線が常に外界に向かっていたのに対し、現在の彼らのそれは自己の内部を指向しているという点で、本質的な相違がある。学生パーティなどに行って見ても、政治や経済問題などは誰一人として口に出そうとはしない。座が白けることを承知しているからだ。偶然、そんな話題が誰かの口に上っても、さっと冗談と共に流されてしまう。

多くの者は、世の中の大きな流れにあえて逆らおうとはせず、そうかといって流れに乗って勢いよく泳ぐでもなく、ただ、流れに身を任せてあぶくのようにプカプカ浮かんでいる。こうした一見虚無的とさえ言える若者たちは、一体、何を考えているのだろうか。彼らはプカプカと浮かんでいるので何も思考していないかのように見えるが、実はそうではない。むしろ、何の抵抗もせずに浮かんでいるからこそ自由に考え悩むことが出来るのかも知れない。例えば、彼らのほとんどは、自分の将来に強い不安を持っている。それは一流の会社に就職できるだろうかなどというものではなく、自分が今後、どんな目的をもってどう生きて行くか、というような根本的問題である。どんな学生でも、長時間二人だけになって気持が通じあって来ると、話はたいていこの問題に帰着する。女子学生などは、不安からくる圧迫に耐えかねて涙を流すことさえ何度かあった。

私はそんな光景に出会うたびに、大学を出れば、ほとんど誰でも日本とは比較にならないほど広くて心地よいアパートに住め、車も買え、十分に文化的な生活を営むことの出来る彼ら、他の国々の基準から言えば「幸福への切符」と思われるものを豊かな社会から保証された彼らを考え、一体幸福とは何かを考えさせられたものである。

自信を失い、目標をも失ったアメリカ人は彷徨《さまよ》う。そして、その彷徨いをより深刻なものにするのは彼らには故郷がないということであろう。彼らのすべてはそれがヨーロッパであれ、アジア、アフリカであれ、一度は故郷の地に訣別《けつべつ》をした人々である。ここに言う故郷とは、故郷の「地」だけではなく、そこに存在する歴史、文化、伝統などすべてを含めた広い概念である。私が彼らアメリカ人を、「故郷を失った人々」と定義すれば、必ず「故郷を自らの意志で捨てた人々」と訂正される。彼らは、自分たちが旧大陸を余儀なくして去ったのでは決してなく、勇気を持って自由と独立のために訣別したのだと信じている。しかし反面、自分たちの先祖が旧大陸での loser（負け犬）ではなかったか、という疑問を深層で意識している。どちらが正しいかはともかくとして、ナップサック一つで移民船に乗ったその時点で、既に故郷をなくしているということは確かだ。なるほど、彼らは自分の出身国になにがしかの親近感を持っている。フィンランド系三世はフィンランドに、日系三世は日本に。しかしそれはきわめて微弱なもので、親近感というよりは単なる興味と言った方が事実に近い。私は日系三世たちが先祖の国である日本に対して一応の興味は持っているが、それ以上のいかなる感情をも示さないのを見て、ほとんど冷たいとまで思ったことが何度かある。彼らはあくまでアメリカ人なのである。それならばアメリカこそが彼らの故郷なのだろうか。そうでもないらしいのだ。私は、日本に滞在中のアメリカ人でホームシックにかかった人をほとんど知らない。彼らは確かにホームタウンに住む親や友人を懐《なつ》かしく思っている。しかしそれは、我々日本人の持っている、故郷に対する感慨というものとは全く異質なものだ。彼らがホームタウンを想《おも》うのは言わば、客観的郷愁とでも呼ぶべきもので、我々のように精神的密着感までを伴うことはない。アメリカそのものに関して言えば、彼らはそれを懐かしいとも何とも思わない。アメリカという国は故郷とはなり難い国である。多種多様の民族の寄り集まりであるため、血のつながりというものが国民の間にあまりない。ほんの二百年前までは異なる土地で異なる言語を話していた人々が、北アメリカという大陸にたまたま同居しているにすぎない。現在でさえ、家庭では英語を話さない人々がいくらでもいる。共通の古い習慣や伝統もなく、雑多な土地から集まった人々が単にアメリカ合衆国憲法という一片の紙により結ばれているにすぎない。戦争などの国家危急の際には不思議なほど強固に団結するが、平常時には互いに何の連帯感も持たない。私はアメリカ人が特定の日本人の悪口を言うのを聞くと、その日本人がたとえ赤の他人であっても同胞意識からか、恥ずかしさに似た感情を覚える。ところが逆の場合には、彼らは不愉快な目に会った私に同情したり、多くの場合は一緒になって悪口を言い出したりする。例えば、あるクラスで数学の話から脱線した私は、第二次大戦中、日系米人が強制収容所に送られた事実に触れたことがあった。同じく敵国であったドイツ系、イタリア系を収容所には入れず日系だけを対象としたことを徹底的に非難した。ところが並み居る学生のうち一人としてそれに反論する者はおらず、そうかと言って、済まなさそうな顔をするでもなく、全員が私に同情して憤慨したり一緒になって政府を攻撃したりした。下手に反論すると、私の逆鱗《げきりん》に触れて落第させられる、と思ったのかどうかは知らないが、私は皆があまりにあっけなく同調したのでかえって力抜けしてしまったほどだ。

彼らはきわめて個人主義的であり、アメリカ人同士の連帯感というものを見つけることはまず困難である。

かくして、アメリカは故郷とはなり得ない。そのうえ、人々は、我々日本人の常識では考えられないほど、やたらに住居を変え、土地を変え移り歩くから、ホームタウンと呼べるものを持つ者もそれほど多くはない。たとえ持っていても、先に述べたように我々の持つ深い郷愁の念というものは持っていない。

前進する自信を失い、先の目標もなく、そうかと言って最終的に安らげるはずの故郷も持たないアメリカ人。あてもなく、ただ、手探りに何かを求めつつさまよう人々。私には、彼らは心底から淋しいのではないかとさえ思える。それは日本を出る前に考えていたイメージとは全く違っていた。陽気、軽佻《けいちょう》浮薄、お人好《ひとよ》し、金銭本位の現実主義者、成り上り者……。アメリカ人を特徴づける文句は日本に、いや世界中に山ほどある。そしてそれらはすべてある真理を含んでいる。しかしそれは、どちらかと言えば、彼らの上《うわ》っ面《つら》にすぎない。彼らには強さがあるのでその内面を容易なことでは人に見せようとしない。アメリカでは弱さを見せることは悪徳である。だから彼らはどんな状況の下でも敢然と困難に立ち向かわなくてはならない。自分の弱さを人に見せては絶対にならないのだ。それはパイオニア・スピリットとでも言うべきものかも知れない。開拓民は常に強くなければならなかった。日本に住んでいる、あるいは住んだことのあるアメリカ人がこう言うのを聞いた。

「日本にいると気持が落ち着く。アメリカでは、朝、目が覚めた瞬間、はっと緊張したものだが、日本ではもっと柔和な気持になれる。日本人と話していると気が休まるが、アメリカ人が相手だといつも自分を強く押し立てていなければならないので、疲れてしまう」

彼らはさまよいながらも絶対に弱音を吐こうとしない。「淋しさに宿を立《た》ち出《い》でてながむれば、いずこも同じ秋の夕暮れ」のごとき感情を表面に出すのは恥とさえ思っている。しかし心の奥では、日本人と全く同じように、この歌に深い共感を覚えるのである。それを滅多なことでは外に出さないだけだ。

日本人論を語るのは比較的に容易である。日本の地理的、歴史的および民族的環境に起因するのだろうか、日本人の思考や感情には大きな共通点がある。ほとんど画一的であるとさえ言えるかも知れない。一方、アメリカ人には画一性というものがまず見当らない。各自が勝手なことを考え、勝手に行動をしている。学生だけを取ってみても、その多様性には驚かされざるを得ない。各人の個性が強烈である。一切の権威を認めようとしないのは時には傲慢《ごうまん》にさえ見えるほどだ。田舎の高校生でも、それが人生論や恋愛論ならハーバード大学の教授とだって対等に議論するだろう。相手が大学者だろうが大統領だろうが神妙にご意見を拝聴するなどということは考えられない。私から見るとアメリカ人はクレージーだ。各自が自分の頭で考え、良いと思ったことはそれがどんなに珍奇なことであろうと迷わず実行に移す。そして、行動というものにきわめて大きな価値が置かれている。実行に移す前に多くの書物を読んで調べたり、人々の意見を聞いて熟考するなどということはあまりしない。行動すること自体に価値があるのだ。だから、老若男女《ろうにゃくなんにょ》の誰でもがいつも忙しそうに活動している。勉強に、スポーツに、ＰＴＡ活動、地域活動、奉仕活動……。彼らはきわめて活動的であるが、それが新しいことであったりすると、もう夢中になる。どんなにくだらないと思われることでも、それが人のやったことのないものならそれだけで価値があると考える。この「新しいものへの好奇心」はやはり、フロンティア・スピリットなのだろう。

この傾向は、アメリカ人全般に見られる一大特徴だ。数学者においてもその傾向は見られる。日本人数学者が一般的に「深み」を志向するのに対し、彼らは、深遠かどうかはそれほど考慮に入れず、とにかく新しく独創的な研究を目差す。私もアメリカに着いてすぐ出席したシンポジウムでは、彼らがどう見ても浅薄としか思えない研究をあまりにも無邪気に、かつ自信満々に発表しているのを見て、唖然《あぜん》としたものであった。しかし、どの研究も新鮮だった。取るに足らぬとは思ったが、独創的であり、野心的であった。日本ではそういった種類の研究が少ないせいか、大いに驚いたものだ。むろん例外もあるが、概して日本人の研究はどちらかと言うと難解であり、深遠そうでもあるのだが、斬新さというものが足りないことは否《いな》めない。どちらが正道であるかは、考えてもしようのないことであるが、「深遠」というものがきわめて主観的な価値判断に基づくものだということは言えよう。

とにかく、アメリカ人は行動するということに、それが新しいことならなおさら、大きな誇りを持っている。私の学生の中には、妻子ある弁護士の妾《めかけ》に進んでなった者もいたし、ホモもいたし、ニクソンを最後まで熱心に支持した者もいれば、ボーイフレンドでも恋人でもない男と同棲《どうせい》している女子学生もいた。こんな例は枚挙に暇《いとま》がないくらいだ。私も慣れないうちは、そういった学生に会うたびに少なからず気が動転し、説教を始めたり、説得しようと試みたものだが、一度も成功しなかった。各人がそれぞれの行動を正当化するための理路整然とした、あるいはバカゲた理屈を持っている。例えばホモの男は簡単にこう答えるだろう。

「僕は女より男の方が好きなのです」

こう言われれば、誰でも返す言葉に窮するか、薄気味悪くなって、早々にお引取り願うだろう。

また、ある男は大学当局をこういって告訴した。

「私はソフトボールが大好きだ。ところが、女子ソフトボールチームは私が男だという理由で入部を拒否した。大学に唯一《ゆいいつ》のソフトボールチームが男子の入部を認めないのは、明らかに男女差別であり、合衆国憲法に違反している」

ある二人のホモは、ボウルダー市役所に結婚許可を要請した。そんな例は先になかったので、男同士の結婚を公式に認めるか否か、町を挙げての大議論の末、市は同性のカップルには結婚許可を与えない旨《むね》を申し渡した。男女差別、および基本的人権の侵害として憤慨した男の一人は、今度は牝馬を連れて市役所に出向き、

「この馬と結婚したい。同性ではない」

と言い張って譲らなかったそうだ。

こんなクレージーな例はいくらも転がっているが、当人たちは皆、至極真面目《まじめ》なのだ。もっとも、この最後の例では、市当局もさるもの、その馬が十六歳未満なのに目をつけ、

「親の承諾書を持って来ない限り許可できない」

と言って追い返したと聞いた。

各人が種々様々な思考および行動をてんでにしていて、よくアメリカというものが崩壊もせずに、国家としてのまとまりを保っているものだとしばしば感心させられたものだ。アメリカ研究家とかアメリカ人はそれをこう説明することが多い。

「自由と独立を謳《うた》った唯一崇高な合衆国憲法の下に固く結束しているのだ」

それは確かに事実であろう。しかし、それだけで片づけるとすると、私にはそれはあまりにもきれい事すぎるように思える。理想などというものがそんなに力強いものであると考えるのは幻想としか思えない。私には、アメリカをアメリカたらしめているのは、何はさておき、まずその国土ではないかと思えるのだ。気の遠くなるほど広大な国土、肥沃《ひよく》な大地、豊富な天然資源、これらがアメリカに限りない富を与えている。この富こそが、アメリカが国家としての形態を保持していくための原動力であり、また、非常時には全アメリカ人を結束させる力なのではないか。この莫大《ばくだい》な富を共有するという一点において、国民がまとまり国家が成立している。彼らが国家危急の際に見事なほど、固く一致団結するのは、自分たちの国土、即、富を守るためにすぎない。国家理想である自由と独立のため、などとアメリカ人が言うのは単なる

sublimation（崇高化、高尚化）にすぎない。あれほど論理的かつ現実的なアメリカ人が理想などという抽象的概念のために命を張る、などということは想像しにくい。万が一、他国に占領された場合、彼らにとって豊かな国土、即、富以上に大きなもので失うものはあるまい。それが国家としての唯一無二の基盤だからだ。日本人が国を守ろうと覚悟する時には、確かに国土に代表される経済的要因も大きいが、それよりもむしろ先祖伝来の民族文化、伝統、心、誇りとかいった精神的要因の方が大きいと思えるのはアメリカ人と比較して対照的だ。

彼らが任意なことを考え、任意な行動をするのは、教育の影響も考えられるが、根本的には、そうする余裕があるからであろう。どんなばかげた思想を持ち、どんなばかげた行動をしていても生きて行けるからである。桁外《けたはず》れの富のおこぼれにあずかることにより、楽に生きることが出来る。日本人が彼らと同じような自由思考、自由行動をしたなら、国家は収拾がつかなくなり、早晩ばらばらに崩壊するであろう。

この国土こそが、貧困な国土を持った我々日本人と彼らアメリカ人との間に介在するありとあらゆる差異の根本原因のような気がする。一般的に言って、思考、信念、行動などに関するアメリカ人の多様性を説明するにはまず民族の多様性を持ち出し、そすべてをそれに帰着させる、というのが常道のようである。しかし、私にとって、それはさほど説得力のあるものとは思えない。そういったことに関する民族的な差異というものは、幾つかの異なる民族を同一の環境に一定期間以上の年月にわたって置いた場合、きわめて小さくなるものだ。アメリカはまさにその実験場である。イギリス系三世、ドイツ系三世、フィンランド系三世……、彼らの考えや行動に民族差はまず認められない。日系三世の中に日本的な特徴は比較的に発見しやすいが、それは血のせいではなく、彼らがユダヤ系のように割合と閉鎖的な社会を最近まで形成していたからだ。それでも彼らは日本人よりは欧州系アメリカ人に遥《はる》かに近い。この点は、黒人や他の少数民族についても同様である。とにかく、考えや行動を見ただけでは全く区別のつかない欧州系が全人口の八割近くを占めているのであるから、アメリカ人の持つ多様性を民族の多様性だけに帰着させるのはとうてい無理であろう。

そんな状態だから、アメリカの国民性などという問題は考えようもない。気取った言い方ではあるが、「国民性のないところが国民性」とでも言うのが精一杯であろう。アメリカ人自身、〝自分はアメリカ人らしくない〟とほぼ例外なく言う、そしてそれはおそらく正しい。アメリカ人全部を考えてその平均をとれば確かにアメリカ的なるものが浮かび上がってくるだろうが、あいにく、各個人がその平均からあまりにもばらついているのだ。49と51なる二つの数字は、その平均値50に近いと言えるかも知れないが、0と100なる二数字は、同じく平均値は50であっても、50に近い、とは言えないのである。従って典型的アメリカ人とかアメリカ的という一般的言葉は、ほとんど意味を持たない。従って日本人論は存在しても、総括的なアメリカ人論はほとんど存在し得ないようにさえ思える。個々の独立した事象を取り上げて解説することは出来るが、それらを統一的に取り扱うことは不可能であろう。もっとも、「アメリカ人論が存在し得ない」と言うのはそれ自体が既にアメリカ人論であるから、私もここで自己矛盾に陥っていることになるが。

国民性のないという事実は、日本人がアメリカ人になりきるのを、ある意味で容易にする。多少、逆説的に聞こえるが、日本人のままでありさえすればよいのだ。周囲の目などは気にせず、日本人らしい顔をし、日本人としてごく自然に考え、行動すればそのままでアメリカ人的なのである。そして彼らに好感さえ持たれる。ある時、私はある女性と結婚観について意見を交していた。私は、

「日本には見合結婚などという習慣があるが、あんなのは封建時代の名残り以上の何物でもない。形式はどうであれ、愛のない結婚なんて絶対に認めないね」

などと、得意になって熱弁をふるっていた。彼女は、なるほどと同意していたが、

これといって感心した様子でもなかった。ところが、最後に私が、

「でも結局は僕も、お袋の選んだ娘と見合結婚するんじゃないか、と思ってるんだ」

と言ったら、彼女は急に押し黙ってしまった。そしてしばらくしてから、

「あなたの日本人的な心っていうのかしら、素敵だわ」

と言って、私を熱っぽい目で見つめたので、少々当惑したことがある。

アメリカに滞在する日本人で、自分の日本性を除去することにより、アメリカに融《と》け込もうとする、あるいは融け込んだつもりの者がかなりいるが、傍《はた》から見ると、大変に滑稽《こっけい》である。そうすることにより、表面的には融合して見えるが、真の意味で融け込んでいるとはとても思えない。なるほど、彼らは一見アメリカ的である。握手も上手に堂々と出来るし、レディーファーストも自然に身につけている。英語もうまいし、軽妙なユーモア、身のこなしや服装、態度も日本人的ではなくアメリカ人に似ている。しかし、私にはそういった人々が真にアメリカ的だとは思えない。彼らは単に意味のない平均値に近いというだけの言わば、「日本的でない日本人」にすぎない。アメリカ人にはなり切れず、日本性を失っただけの国籍喪失人間としか思えないのだ。こういった人々は、Americanized というよりは、むしろ Cocacolonized (Cocacola + colonize) と呼ばれるべきなのであろう。とにかく、アメリカという集

合体に、外部の何かが、自らの異質性を放棄することにより適合しようと試みると、絶対にうまくいかないのである。それはオーケストラに似ているかも知れない。ヴァイオリンもチェロも、ピアノ、フルートも、他のどの楽器とも違う自分自身の音色を持つからこそ全体として美しいハーモニーを作る。各楽器を同時に演奏したような音色の楽器を人工的に作り出しても、それはオーケストラに融合しえないのである。

アメリカに融和するには、日本性を維持したまま、ただ気持を開いて彼らに接するのが近道である。気持を開くというのは易《やさ》しいことではないが、それさえ出来れば既にアメリカ人と違いはない。心からの礼を述べる時には、口先でサンキューと言うよりは、誠意をこめて深々と頭を下げた方がはるかに効果的だ。夫人同伴でパーティに行っても奥さんの椅子《いす》を引いてやるのは日本的ではないから不自然だ。帰りがけに、奥さんが亭主の上着を手伝ってやれば二人は皆の人気者になるであろう。他人の迷惑にならない限りはすべて自然な日本流で通すのがアメリカ社会に快く受け入れられる秘訣《ひけつ》だと思われる。人の心というのは、洋の東西を問わず驚くほど、共通性がある。そして、その心は自然な態度によって最も正確に伝わるのである。彼らは時に、東洋人の礼儀正しさや謙譲ぶりをからかうことがある。友人のブラウナウェル教授はある有名な東洋人の数学教授がその講演を次のように始めたと聞かせてくれた。

「これからお話しする研究結果は、ほんのつまらないもので皆様の貴重なお時間を潰《つぶ》すかと思うと誠に申し訳なく思うのですが、今回はちょうど私の話す順番になっておりますので、甚《はなは》だ恐縮ではございますが、しばらくの間ご辛抱なさって下さいますようお願い申し上げます」

ブラウナウェル教授はそういって大口を開いて笑ったが、その目には彼を尊敬している様子がはっきり読み取れた。

アメリカ人はこういった謙遜《けんそん》はめったにしないものだが、謙遜している人を見て風変りとは思っても不愉快に思うことはない。逆に、大した成果でもないものをさも重大成果であるかのごとく仰々しく言えば必ず苦々しく思われる。日本で昔から美徳とされているものは、現在のアメリカでも美徳であることが多いし、たとえそうでなくとも悪徳であることは絶対にない。彼我の違いなどは気にせずに、日本の通りにしていた方が安全である。アメリカではこうだ、などという話はあまり当てにならない。実は私も、アメリカではオナラよりゲップの方が罪が重い、という人の話を鵜呑《うの》みにして大変恥ずかしい思いをしたことがある。

喜怒哀楽などの感情に関しても、その表現方法に差はあるとしても本質的には同一であるとみてよい。アメリカ人がそういった感情を素直に表現するのに反し、日本人はそれを押し隠す傾向があるというだけの違いだ。

私は、大事に持っていた「日本の歌曲」というレコードを中西部の農場の娘パティと一緒に聞いたことがあった。それには、「波浮の港」「城ヶ島の雨」「桜貝の歌」など十数曲が収録されていた。聞いたことのないであろう日本の歌に彼女がどんな反応を見せるか興味があった。最初は二人とも黙って聞いていた。ところが、しばらくして、歌詞の分るはずのない彼女が突然、「悲しい！」と言ったので、私は驚いた。実は内心、アメリカ人に日本の情緒が分ってたまるか、くらいに思っていたからである。

「どうして日本の歌は、どれもこんなに淋しく悲しいの」

と、当惑した私を見つめながら聞いた。言われてみると確かに、明るい恋を謳歌《おうか》した、というようなものはほとんど見当らない。適当な理由がすぐに思い浮かばなかったので、

「日本人はそういうのが好きなのさ」

と、答えたら、いたずらっぽい目を丸くして、

「悲しくなるために、わざわざお金を出して、レコードを買うの」

と言った。考えてみるとなるほど不思議だったが、そのまま引き下がるのが癪《しゃく》だったので、知りもしない仏教の影響などを持ち出してみたが、理由をうまく説明できな

かった。しかし、メロディだけを聞いて、悲しいと感じてくれたことがなぜか大変うれしかった。一通り聞いてから、今度は私がそれぞれの歌詞をレコードに合わせて即興的に翻訳してあげることにした。ところが、一曲目、二曲目と進むうちに、いつの間にか彼女は鼻をすすり始め、遂《つい》には、本当に泣き始めてしまった。純粋に、曲と詩から来る情感に圧倒されたのだろうか、それとも……。彼女の頰を伝う涙を私はじっと見つめていた。そしてこの時、アメリカに来て初めて、深い所での意思の疎《そ》通《つう》があったと思い、私は感動していた。

彼女が日本人と同質の感受性を持っていたことは、他の経験にもかんがみて確かだが、かといって、アメリカ人一般がすべてそうだとただちに断言することは出来ない。しかし、それを支持する証拠はいくつか持っている。そして私は、それを証明は出来ないが信じている。私はこういった同質を彼らの中に、偶然発見するたびに心の底からホッとしたものだ。

自らを振り返ってみると、最初の九ヶ月間を初期とした場合、この時期において私は、自分が日本人であることを意識しすぎていた。アメリカ人に対しては対抗意識しか持っていなかったから、彼らの前で心を開くことはなかった。従って、友達もほとんど出来なかった。疎外感（そがいかん）に悩まされていたが、それを解消しようとするよりは自らの殻に閉じこもり、外界を攻撃することにより自分を防護していた。いわば私は、オーケストラに加わることを拒否していた琴であった。時に加わりたいと思うことがあっても、そんな時は常にヴァイオリンをライバルと見なし、それを叩《たた》きつぶそうとばかりしていた。

次に続いた一年半の長い中期になると、フロリダ旅行を契機として、私は固い殻を打ち破り心を開いたが、知らず知らずに、日本人であることを意識の外に置こうと無理に心がけていた。だから自然ではなかった。ヴァイオリンが素晴らしい友達であることを発見して、その真似《まね》をしようと懸命になっていた琴であった。この期間に友達はかなり出来たが、深い意味の友ではなく、単に食事を共にしたり、テニスを楽しんだり、冗談をたたき合ったりというだけの人々であった。その頃の私は、一見アメリカの中に完全に融け込んでいたようではあった。数人の女友達もいたし、週末はデイトやパーティで忙しかった。パーティでは老若男女《ろうにゃくなんにょ》の誰からも好かれたし、アパートでは子供やその親たちの大変な人気者であった。大学においては、学生たちは私をほとんど熱狂的に支持してくれたし、同僚教授や事務職員にも好かれ、週末の同じ日に複数の人から夕食に招待されて断わるのに苦労したことが何度もあった。だから、初期に感じていた疎外感というものは全く感じなかったし、日本への郷愁は感ずる暇もなかったと言ってよい。ところが人々の人気を博すれば博するほど、どこか物足りなさというようなものを感じていた。そしてそれは次第に淋しさに変わっていった。この淋しさは、ミシガンの冬に感じたものとは全く異質のものだった。当時はアメリカへの幻滅感、疎外感とか郷愁の念が主なる原因だったからだ。騒々しいパーティで皆からチヤホヤされた後、夜遅くなって人気《ひとけ》のないアパートに帰宅し、ソファに坐《すわ》って落ち着いた心を取り戻した時などには、ことにその淋しさが募った。満場の拍手を耳に残しながら、しんみりとした控室に帰って来たピエロのような気持だった。その遣《や》る瀬《せ》ない淋しさがどこから来るものなのか、はっきり摑《つか》めなかった。私は確かにオーケストラに加わってはいたが、単に物理的な意味だけにおいてであった。音は出たが、深い部分での共鳴は決してなかった。

一九七四年の冬、クリスマスを間近に控えた頃、私は一人で夕方の街はずれを歩いていた。その日は午後になって降り出した雪が夕方までには辺りを真白に被《おお》いつくしていた。すっかり夕闇《ゆうやみ》に包まれた街には、折からの雪のせいか、人通りはほとんどなく、私の靴音だけが絶え間なく舞い散る粉雪の中に冷たく消えて行った。雪の夜に特有な静寂の中をただ寒いとだけ思いながら足元を見て歩いていた。と誰か、後方から声をかける者がいた。振り返ると、ハーフコートにブルージーンズの人影が私の方に向かって早足でやってくる。パティだった。私は彼女を数ヶ月前から知っていた。お互いに好感を持ってはいたが、それ以上のものではなく、そんな人々の中の一人にすぎなかった。ただ内気で恥ずかしがり屋なのがアメリカ人らしくないので、好印象として心に残っていた。明るい金髪の上に白い雪片がまばらに散っていた。私たちは一緒に歩き出した。翌日にホームタウンのミシガンに帰ると言う。ホワイトピジョンという小さな町に家族が待っていると言ったが、それほどうれしそうな様子でもなかった。またたく間に私たちは別れの街角まで来てしまった。話は途切れてしまっていた。雪は容赦なく二人の頭から肩に舞い降りてきた。防寒着に身を包んでいるとはいえ、立っていると寒さがこたえる。彼女も寒そうに立ったまま黙って歩道に積もり始めた雪を見ていた。沈黙に耐えられなくなった私が、なぜか意に反して、

「もう寒くなったでしょう」

と言って、婉曲《えんきょく》にさよならを促すと、

「うん。とても。凍《こご》えそうだわ」

と、途切れ途切れに言った。そして目を伏せたまましばらくしてから、

「もう当分会えないのね。淋しいわ」

と言って、私をうるんだ目で見上げた。彼女はアメリカ人としては小柄で一六〇センチくらいしかない。私も淋しくなって、ただ、

「うん」

とだけ言って、彼女を見つめていた。紺《こん》のハーフコートの肩は真白だった。彼女はそれを払うでもなく悲しそうな視線を落していた。水銀灯に頬がどこか青白い。憂《うれ》いに沈んだ瞳《ひとみ》をフッとまばたくと、長いまつげに止まっていた雪の結晶が微《かす》かに震えた。私がたまらず歩み寄ると、彼女はそのまま私の胸に激しく飛びこんで来た。そのままどれくらいの間、抱擁していただろうか。冷たい髪にそっと指を触れると雪片がハラハラと落ちた。抱いていた腕を解くと、パティの顔はうすいピンクに染まっていた。再び何も言わずに私を見つめている。私はなぜか熱い胸の内を隠そうとして、

「じゃ、良いクリスマスを。さようなら」

と、ややそっけなく言った。彼女はしばらく間を置いてから、思い切ったように、

「あなたも。さようなら」

と、元気良く言って、優しく微笑《ほほえ》んだ。

私たちはほぼ同時に逆方向に歩き出した。何かを確かめたくて振り向うと思ったが、どうしてもその勇気がなかった。ただ彼女が雪の中に消えて行ったことだけは確かだ

と思っていた。

アパートに戻ってからも暖かな気持に包まれていた。久し振りのものだった。そして、その暖かさはいつまでも続いた。ほんの短い時間だったし、二人の間に交された会話も途切れがちであったが、沈黙の中に深い心の交流があった。私には、それが愛と呼べるものであるか確信はなかった。しかし、それは長い間、忘却の底に眠っていた愛の心を呼び起こしてくれた。私はもはや、淋しくはなかった。人気者でありながらも、誰からも好かれながらも淋しかった原因、それは愛の心を持たなかったためだと思った。それがいかなる愛であろうと、愛なしで人間は人間であり得ない。人間は、その心の最も奥深い部分を通わすことの出来る「何か」が必要だ。その「何か」は人でも物でも何でもよい。それが愛ではないだろうか。私はそう思った。

最後の九ヶ月間、私の精神はやはり絶えず揺れ動いてはいたが、ある意味での落着きを取り戻した。日本人としてごく自然に振舞うようになったし、それがそのまま快く受け入れられた。そしてほんの二、三人にせよ、かなり深い部分で心を通わすことの出来る人を持ったことが大きかった。この頃から私は、アメリカ人を真の意味で好きになったと言える。

夢に破れつつも理想を探し求めてさまよい歩くアメリカ人、淋しさに歯を食いしばりながらもさまようアメリカ人、皆、私と同じ人々だった。彼らはこの世界で安易な日々を送ってはいない。涙をこらえ、もがいている。私はこの「もがいている人々」に大変共感し、彼らをこよなく愛した。彼らの人生はまさに旅である。故郷のないことが旅を容易にさせる。そして悲しくさせる。彼らは自由と独立、そして愛を求めて荒野の旅に出る。「帰る場所」がない、という寂しさが彼らの背に影のごとくつきまとう。彼らはもちろん、それをはっきりと認識してはいない。生まれながらに「帰る場所」がないのだから、それが彼らの内に宿るそこはかとない淋しさの大きな原因だとは気づかない。彼らの人生が孤独な旅であること。そのことは、彼らが意識をしようとしまいと私には確かなことと思われた。そしてそれは人生を旅とみなす西行《さいぎょう》や芭《ば》蕉《しょう》を代表とする日本人の人生観と一致していた。この点において私は、彼らとの間に、深いアイデンティティを見出したと言える。彼らも私と同じように旅の身であった。行きつく所のない道を歩み続けていた。ただ、止まって倒れるのが怖いから歩き続けようと必死にもがいていた。それが果てしない漂泊の旅であり、果てしないあがきであることを知りつつ歩み続ける。

一九七五年夏、帰国予定日の一週間前に、私は車を運転してサンフランシスコに向かった。ボウルダーを出て、グランドキャニオンを通り、ネバダの砂漠地帯に出た。砂漠は、三年前と同じように、熱風の吹きまくる灼熱《しゃくねつ》の地であった。モウハーヴィ砂漠を貫いてどこまでも真直《まっす》ぐに走る道。視界には草木の一本もなく、ただ逃げ水と蜃《しん》気楼《きろう》を追いかける道。それは三年前には単調きわまりない退屈な道であり、うとうとする以外に時間の持たせようのなかった道だった。しかし今の私には、その道は、はっきり違ったものだった。この、赤い地平線に這《は》いつくばったまま動こうともしない長い長い一本道が、彼らの、そして私の歩みつつある道のように思えた。この道を、蜃気楼のような理想を夢見ながら、逃げ水という幸福に裏切られながら人は歩み続ける。夏の灼熱の中を、冬の吹雪の中を、ただひたすら歩み続ける。そして、いつか夢は破れ、幸福を失い、倒れ行く。この道は涙の道である。そして他に道はない。私は焼けつくような夏の太陽を露出した左腕に烈《はげ》しく感じながらそう考えていた。

アメリカ人が、日本人が、そして誰でもが歩む一本道。歩まざるを得ない一本道。この道は愛なしには歩けない。愛なしには決して……。こう思った時、道は不意にぼんやりとにじんだ。

私はそれを見失うまいと思わず身を前に起こした。乾いた熱風がシートから離れた背中の汗を一気に吹き飛ばした。

最後の日はサンフランシスコで過ごした。この大都市は相変わらずの車と人の波で活気づいていた。坂の多い街路を観光客で満員になったケーブルカーが呑気《のんき》に昇ったり降りたりしている。歩道は、忙しそうに往来するビジネスマンや、腕を取り合い談笑する男女でごった返していた。それはいつ見ても変わらないアメリカの都市であった。

夜になってから私は、ふと思い立って、市のはずれにある小高い丘に登った。真夏とはいえ、ほとんど肌寒いとさえいえる夕風が、私の頰を撫《な》でていた。サンフランシスコの夜景はことのほか美しかった。ちりばめたような町の灯が見渡す限り広がり、眼下の海岸線でふっと切れていた。遠くの海には、点々と漁火《いさりび》が揺れていた。

この漁火の頼りなさが、私の心を濡《ぬ》らした。どこからともなく霧の一団がやってきて、またたく間に、林立する高層ビルを被ってしまった。それはさらに広がり、深まり、町全体にたちこめ、それを包み、そして溶かしてしまった。私はこの霧の海に「私のアメリカ」が静かに沈んで行くのを感じていた。

「私のアメリカ」は太平洋で生まれ、大西洋で蘇り、この霧の海ににじんで消えた。

その夜、遅くなって私は町の酒場へ行った。飲めない酒で酔い潰《つぶ》れようと思った。そうせずにはおれなかった。酔って陽気になった人々が大声で笑ったり、アコーディオンに合わせてダンスを踊り始めた。私はカウンターに坐ったまま身動きもせずに黙って飲み続けた。

追憶の波が私の胸に熱く寄せ、優しく返した。そして、その波がいつしか、くるくると渦巻き始めるのを酔いの回った頭でぼんやりと感じていた。

解説

吉増剛造

『若き数学者のアメリカ』、藤原正彦さんのこの本を読んで、ひきこまれておもわず歓声をあげると表現しようか、あるいはたとえば私にはとてもこうは書けない（感ずる力がない）、ウーン見事なものだと感心した点が幾つもあった。このことを考えながら、藤原正彦氏のアメリカ紀行をもう一度旅してみようとおもう。

アメリカという国について人によってさまざまの印象があるのだとおもう。藤原さんよりは年齢が四つ上、二年前の一九七〇年に、藤原さんの滞在したミシガンからそれほど遠くはない同じ中西部のアイオワというところに、私も一年間いたことがあった。だから私の経験したことが、いま書きつつあるこの文章に、カゲのようにあらわれるのかも知れない。熱をはらみつつ疾走するような藤原さんの紀行（文）にカゲの部分をつくるのは本意ではないけれども、こうした書き方も（解説の文章の）一つの方法かも知れない。

たったいま、アメリカという国について人によってさまざまの印象が……という口調で私はなにかを語りはじめようとしていた。逡巡《しゅんじゅん》するというか、口籠《くちごも》るように……。本書を読み終えられた読者には判《わか》るとおもう、藤原正彦氏の声には、そうした遅怠というか、延滞の響きはない。非常に強い、感情が刻々に変化して行く。そして、その変化のさなかから聞こえてくる、きっとこれは英語とも日本語ともいえないのだろう、第三、第四の声がこんなふうに響いている。

「絶対に謝るもんか、絶対に謝らないぞ」

と心の中で叫んでいた。ちょうどその時、スピーカーが、

「幸運にも（fortunately）、あの石油タンクは爆撃をまぬがれた」

と言ったので、小声で、

「unfortunately」

と言い直してやった。

これは『若き数学者のアメリカ』の、第一章の「ハワイ——私の第一歩」。真珠湾遊覧の時の出来事である。著者のいう「私の第一歩」はこの本の「第一声」といえる

のかも知れない。こうして著者の「内心の声」、その強い反応する力に私は感嘆していた。その反応する力は感応力、感受性といいなおしてもよいものなのだろう。藤原さんの専門の数学の論文にもきっとこの感応力はあらわれていて、私達はそのリズム、構成力、藤原さんのもつ全《すべ》てにふれているといえる。たとえば、第二章（「ラスヴェガス I can't believe it.」）の次に引用する個所の大きなうねり。

この出来事で、私のペースは完全に混乱したらしい。それまでの二五セント単位の賭《か》け方が馬鹿《ばか》らしくなり、いきなり五ドル単位で賭け始めたのだ。多い時は、一度に一〇ドルも賭けた。戦術も何もなく、ただ、勘だけに頼ってやっていたのだから負け方も早い。あっという間に全部をすった。これを潮時と見て、眠りにつこうと決めたのだが、部屋に帰ってみると、このまま眠るのがいかにも悔しくて、もう一度だけ勝負をしたくなった。こうなると、旅の疲れやら緊張やらにギャンブルの疲れと空腹感が加わって、抑制力も判断力も完全に失っていた。残金を調べてみると、現金はほぼ全部使い果し、残るは、虎《とら》の子のトラベラーズチェックだけで、その内訳は、コロラドを経てミシガンまでの旅費の約一五〇ドルと、そこに着いた当初に必要となるであろう二〇〇ドル（約六万円）ほどであった。普通に考えれば、旅費はもちろん、新居に落ち着くのに最低は必要な生活費の二〇〇ドルに手を付けられるわけはないのだが、十時間以上も食事抜きでギャンブルしていた頭は、完全に常軌を逸していたらしい。生活費二〇〇ドルのうち一五〇ドルに当るトラベラーズチェックを抜き出して再びカジノに戻ったのである。勝つ自信は少しもなかったし、絶対に勝とうという気力も持ち合わせていなかったのであるが、ただ、理由もなく、やらずにはいられなかった。結果は明らかで、五ドル、一〇ドルという単位で賭けたので、ものの一時間もたたないうちに、すっからかんになった。さすがにがっかりしてカジノを抜け出ると、東の空は既に白みはじめていた。

なにかに反応する力の大きなうねり、というい方を私はしていたが、この個所のリズム感は素晴しいものだ。（それで引用も途中で切れずに、問からはじまって、名答の出るまで、数式のかたちを引用したとおもう。）

ただ、理由もなく、やらずにはいられなかった。

こうして藤原正彦氏の文章を、別の読み方をする楽しみがはじまるようだ。その言葉の一群の姿やかたちを全て引用出来ないのは残念だが、たとえば藤原センセーが研究発表をするときの作戦展開の部分。本書八六頁《ページ》、「さてつぎに大事なのは、その展開の仕方である。作戦である。……」からはじまって、「素晴らしかった！　とても興味深かった！」あたりまでの二十行位。

あるいは一〇三頁の、藤原さんのガールハントの状景。「ある土曜日、フットボール試合のある日の昼前だった。」にはじまり、「ポケットの中で握りしめていた二枚の券が汗でぐっしょりとなっていた。」までの十数行。何頁かいって、「涙」の項。こうして、筆者藤原さんの全体像（というより全身とそのまわりの空気）が浮かぶ。

外国に長期間滞在していて、ホームシックにかかったり、ノイローゼになったことのある人も多いとおもう。そんなときに受けとって掌にのせた手紙には、千鈞《せんきん》の重みがある。藤原さんの滞在した、ミシガン大学のある町（大学町）アン・アーバーから車で一時間ほどのところにいて、私も（一九七九年から八〇年にかけて）一冬を過したことがあった。藤原さんも「毎日、昼食後に大学に行っては郵便受けをのぞいて落胆していた。冬休みで誰もいない校舎にもはいっては、空の郵便受けを確かめた。」と書いていた。多分おなじような郵便受けなのだろう。（ちいさなノゾキ窓とカギのついた）雪道を郵便小屋まで歩いて行って、空の郵便受けを私も毎日毎日のぞいたことがあった。

東京の両親からはしばしば手紙が届いた。帰る日を首を長くして待っているという内容が多かった。余計な心配をかけさせないために、健康のことは知らせてなかった。たいていの場合は、母が家族とか親戚《しんせき》の様子などを綴《つづ》った後で、父が最後に俳句をひねるというのがならわしだった。その頃貰《もら》ったものにこんなのがあった。

紅梅の色にじませて　春の雪

一行の俳句が、多くの場合、数十行にわたるニュースの山より以上に、私の郷愁を呼び起こしたものだった。

そんな二月中旬のある日、既に諦《あきら》めていたシュミット教授からの手紙が届いた。

「貴方《あなた》からの手紙を見ました。私はインドのタタ研究所に一ヶ月半ほど行っていて、最近帰ってきたばかりです。返事が遅れてしまい、申し訳ありませんでした。さて、貴方の送ってくれた証明は、全く正しいです。私は見落していたようです。重要な指摘をして下さって、心から感謝しております」

藤原正彦氏のこの本のなかで、私は「二つの手紙」と名付けてでもいるのか、この個所を印象深く覚えている。雪道を通って、空の郵便受けをのぞきに行った記憶がまだ新しく、この匂《にお》いたつような俳句が添えられた手紙を、自分のところにきたもののように感じていたようだ。シュミット教授からの手紙（あるいは通信）も、「紅梅……」の句の色を移して、そこに立っているような印象をあたえた。

このシュミット教授からの手紙が著者がコロラド大学の数学科に移るきっかけとなり、『若き数学者のアメリカ』の後半はコロラド大学での体験記で、藤原さん独特の熱をはらみつつ疾走するような紀行がさらにつづく。読者それぞれに読みかたがあって、これは私の読みかたにすぎない。しかし右の、「二つの手紙」のあたりが本書の分水嶺《ぶんすいれい》のように、私には感じられていた。

この小文に標題をつけるとしたら「二つの手紙」であると考えながら、ふとおもう。一つの手紙は俳句（文学）から、もう一つの手紙は数学からと。

（昭和五十六年六月、詩人）

この作品は昭和五十二年十一月新潮社より刊行された。

藤原正彦著

数学者の言葉では

苦しいからこそ大きい学問の喜び、父・新田次郎に励まされた文章修業、若き数学者が真摯な情熱とさりげないユーモアで綴る随筆集。

藤原正彦著

数学者の休憩時間

「正しい論理より、正しい情緒が大切」。数学者の気取らない視点で見た世界は、プラスもマイナスも味わい深い。選りすぐりの随筆集。

藤原正彦著

遥かなるケンブリッジ
—一数学者のイギリス—

「一応ノーベル賞はもらっている」こんな学者が闊歩する伝統のケンブリッジで味わった波瀾の日々。感動のドラマティック・エッセイ。

藤原正彦著

父の威厳 数学者の意地

武士の血をひく数学者が、妻、育ち盛りの三人息子との侃々諤々の日常を、冷静かつホットに描ききる。著者本領全開の傑作エッセイ集。

藤原正彦著

心は孤独な数学者

ニュートン、ハミルトン、ラマヌジャン。三人の天才数学者の人間としての足跡を、同じ数学者ならではの視点で熱く追った評伝紀行。

藤原正彦著

古風堂々数学者

独特の教育論・文化論、得意の家族物に少年期を活写した中編。武士道精神を尊び、情に棹さしてばかりの数学者による、48篇の傑作随筆。

水木しげる著
ほんまにオレはアホやろか
子供の頃はガキ大将で妖怪研究に夢中で、入試は失敗、学校は落第。そんな著者が「鬼太郎」を生むまでの、何だか元気が出てくる自伝。

色川武大著
うらおもて人生録
優等生がひた走る本線のコースばかりが人生じゃない。愚かしくて不格好な人間が生きていく上での〝魂の技術〟を静かに語った名著。

石原清貴著
沢田としき絵
「算数」を探しに行こう！
「式」や「計算」のしくみがわかる五つの物語
算数が苦手な子供とおとな、そしてすべての世代の数学好きに贈る算数発見物語。現役の小学校の先生が処方した、算数嫌いの特効薬。

石原良純著
石原家の人びと
独特の家風を造りあげた父・慎太郎、芸能史に比類なき足跡を遺した叔父・裕次郎――逸話と伝説に満ちた一族の素顔を鮮やかに描く。

岡本太郎著
青春ピカソ
20世紀の巨匠ピカソに、日本を代表する天才岡本太郎が挑む！その創作の本質について熱い愛を込めてピカソに迫る、戦う芸術論。

岡本太郎著
美の呪力
私は幼い時から、「赤」が好きだった。血を思わせる激しい赤が――。恐るべきパワーに溢れた美の聖典が、いま甦った！

河合隼雄
村上春樹著

村上春樹、
河合隼雄に会いにいく

アメリカ体験や家族問題、オウム事件と阪神大震災の衝撃などを深く論じながら、ポジティブな新しい生き方を探る長編対談。

河合隼雄著

働きざかりの心理学

「働くこと＝生きること」働く人であれば誰しもが直面する人生の〝見えざる危機〟を心身両面から分析。繰り返し読みたい心のカルテ。

河合隼雄ほか著

こころの声を聴く
―河合隼雄対話集―

山田太一、安部公房、谷川俊太郎、白洲正子、沢村貞子、遠藤周作、多田富雄、富岡多恵子、村上春樹、毛利子来氏との著書をめぐる対話集。

河合隼雄著

こころの処方箋

「耐える」だけが精神力ではない、「理解ある親」をもつ子はたまらない――など、疲弊した心に、真の勇気を起こし秘策を生みだす55章。

河合隼雄著

猫だましい

心の専門家カワイ先生は実は猫が大好き。古今東西の猫本の中から、オススメにゃんこを選んで、お話しいただきました。

河合隼雄
南伸坊著

心理療法個人授業

人の心は不思議で深遠、謎ばかり。たまに病気になることも……。シンボーさんと少し勉強してみませんか？　楽しいイラスト満載。

新潮文庫最新刊

唯川　恵著　**100万回の言い訳**

恋愛すると結婚したくなり、結婚すると恋愛したくなる——。離れて、恋をして、再び問う夫婦の意味。愛に悩むあなたのための小説。

小池真理子・小説　ハナブサ・リュウ・写真　**イノセント**

あなたと私、二人きりで全てをわかちあった秘密の時間——。言葉が誘い、写真が応える。甘美にして妖艶、めくるめく官能の物語世界。

米村圭伍著　**紀文大尽舞**

蜜柑船の立志伝など嘘っぱち。戯作者の卵・お夢が、豪商・紀伊国屋文左衛門の陰謀を暴く。将軍継承を巡る大江戸歴史ミステリー。

岩井志麻子著　**痴情小説**

甘やかな快感に溶けてゆく肌。その裏側から溢れだす、生温かく仄暗い記憶。痺れる甘さと蕩ける毒に満ちた、エロティック作品集。

中村文則著　**銃**

拾った拳銃に魅せられていくうちに非日常の闇へと嵌まり込んだ青年。その心中の変化と結末を描く。若き芥川賞作家のデビュー作。

森見登美彦著　**太陽の塔**　日本ファンタジーノベル大賞受賞

巨大な妄想力以外、何も持たぬフラレ大学生が京都の街を無闇に駆け巡る。失恋に枕を濡らした全ての男たちに捧ぐ、爆笑青春巨篇！

若《わか》き数《すう》学《がく》者《しゃ》のアメリカ

新潮文庫　ふ - 12 - 1

昭和五十六年六月二十五日　発行
平成十五年九月三十日　二十八刷改版
平成十八年六月十日　三十五刷

著者　藤《ふじ》原《わら》正《まさ》彦《ひこ》

発行者　佐藤隆信

発行所　株式会社　新潮社
郵便番号　一六二―八七一一
東京都新宿区矢来町七一
電話　編集部(〇三)三二六六―五四四〇
読者係(〇三)三二六六―五一一一
http://www.shinchosha.co.jp

価格はカバーに表示してあります。

乱丁・落丁本は、ご面倒ですが小社読者係宛ご送付ください。送料小社負担にてお取替えいたします。

印刷・株式会社光邦　製本・憲専堂製本株式会社

ISBN4-10-124801-X C0130